LA VIE SECRÈTE DES ÉCRIVAINS

*Il a été tiré de l'édition originale
de cet ouvrage deux cents exemplaires
sur Munken Premium Cream
des papeteries Arctic Paper
numérotés de 1 à 200.*

© Calmann-Lévy, 2019
ISBN : 978-2-7021-6548-5

Guillaume Musso

La vie secrète
des écrivains

roman

ÉDITEUR DEPUIS 1836

À Nathan

Pour survivre, il faut raconter des histoires.
Umberto Eco,
L'Île du jour d'avant

Saint-Julien-les-Roses

Embarcadè

Monastère
des bénédictines

Presqu'île
Sainte-Sophie

Cottage
Dunbar

Tristana Beach

Mer Méditerranée

Pointe du
Safranier

La Croix du Sud

Plage de
l'Anse d'Argent

Punta
dell'Ago

Calanque
des Pins

Plage des Ondes

Dalle de Saragota

Ile Beaumont

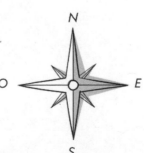

PROLOGUE

Le mystère Nathan Fawles

(*Le Soir* – 4 mars 2017)

Absent de la scène littéraire depuis près de vingt ans, l'auteur du mythique *Loreleï Strange* continue de susciter une véritable fascination chez les lecteurs de tout âge. Retiré sur une île de la Méditerranée, l'écrivain refuse obstinément toute sollicitation médiatique. Enquête sur le reclus de l'île Beaumont.

On appelle cela l'effet Streisand : plus vous cherchez à cacher quelque chose, plus vous attirez la curiosité sur ce que vous souhaitez dissimuler. Depuis son retrait soudain du monde des lettres à l'âge de trente-cinq ans, Nathan Fawles est victime de ce mécanisme pervers. Nimbée d'une aura de mystère, la vie de l'écrivain franco-américain a suscité tout au long de ces deux décennies son lot de ragots et de rumeurs.

Né à New York en 1964 d'un père américain et d'une mère française, Fawles passe son enfance dans la région parisienne, mais retourne aux États-

Unis pour terminer ses études, d'abord à la Phillips Academy, puis à l'université Yale. Diplômé en droit et en sciences politiques, il s'investit ensuite dans l'humanitaire, travaille quelques années sur le terrain pour Action contre la faim et Médecins sans frontières, notamment au Salvador, en Arménie et au Kurdistan.

L'ÉCRIVAIN À SUCCÈS

Nathan Fawles revient à New York en 1993 et publie son premier roman, *Loreleï Strange*, parcours initiatique d'une adolescente internée dans un hôpital psychiatrique. Le succès n'est pas immédiat, mais en quelques mois, le bouche à oreille – notamment chez les jeunes lecteurs – porte le roman en tête des ventes. Deux ans plus tard, avec son deuxième ouvrage, *Une petite ville américaine*, vaste roman choral de près de mille pages, Fawles rafle le prix Pulitzer et s'impose comme l'une des voix les plus originales des lettres américaines.

Fin 1997, l'écrivain surprend une première fois le monde de la littérature. Désormais installé à Paris, il publie son nouveau texte directement en français. *Les Foudroyés* est une déchirante histoire d'amour, mais aussi une réflexion sur le deuil, la

16

vie intérieure et le pouvoir de l'écriture. C'est à cette occasion que le public français le découvre vraiment, notamment lors de sa participation à une édition spéciale de *Bouillon de culture* avec Salman Rushdie, Umberto Eco et Mario Vargas Llosa. On le reverra dans cette émission pour ce qui se révélera être son avant-dernière intervention médiatique, en novembre 1998. Sept mois plus tard, âgé d'à peine trente-cinq ans, Fawles annonce en effet dans un entretien décapant avec l'AFP sa décision irrévocable d'arrêter d'écrire.

LE RECLUS DE L'ÎLE BEAUMONT
Depuis cette date, l'écrivain s'est tenu à cette position. Installé dans sa maison de l'île Beaumont, Fawles n'a jamais plus publié le moindre texte, ni accordé d'interview à un journaliste. Il a aussi refusé toutes les demandes d'adaptation de ses romans au cinéma ou à la télévision (Netflix et Amazon s'y sont encore récemment cassé les dents, malgré, dit-on, des offres financières très conséquentes).
Depuis bientôt vingt ans, le silence assourdissant du «reclus de Beaumont» n'a cessé d'alimenter les fantasmes. Pourquoi Nathan Fawles, à seulement trente-cinq ans, alors au sommet de son succès,

a-t-il choisi de se mettre volontairement en retrait du monde?

«*Il n'y a pas de mystère Nathan Fawles*, assure Jasper Van Wyck, son agent depuis toujours. *Il n'y a pas de secret à percer. Nathan est simplement passé à autre chose. Il a définitivement tourné la page de l'écriture et du monde éditorial.*» Interrogé sur la vie quotidienne de l'écrivain, Van Wyck reste dans le flou: «*Autant que je sache, Nathan vaque à ses occupations privées.*»

POUR VIVRE HEUREUX, VIVONS CACHÉS

Pour couper court à toute attente des lecteurs, l'agent précise que l'auteur «*n'a plus écrit une ligne depuis vingt ans*» et se montre catégorique: «*Si* Loreleï Strange *a souvent été comparé à* L'Attrape-cœurs, *Fawles n'est pas Salinger: il n'y a pas dans sa maison de coffre-fort rempli de manuscrits. Il n'y aura plus jamais de nouveau roman signé Nathan Fawles. Même après sa mort. C'est une certitude.*»

Une mise en garde qui n'a jamais découragé les plus curieux de chercher à en savoir plus. Au fil des années, de nombreux lecteurs et plusieurs journalistes ont fait le périple jusqu'à l'île Beaumont pour aller rôder autour de la maison de Fawles. Ils ont toujours trouvé porte close. Une méfiance qui semble avoir gagné les habitants de l'île. Pas très étonnant dans un endroit qui, avant même la venue de l'écrivain, avait érigé en devise la maxime *Pour vivre heureux, vivons cachés.* «*La municipalité ne communique pas sur l'identité de ses résidents, illustres ou non*», se contente de préciser le secrétariat du maire. Rares sont les insulaires qui consentent à s'exprimer sur l'écrivain. Ceux qui acceptent de nous répondre banalisent la présence sur leurs terres de l'auteur de *Loreleï Strange.* «*Nathan Fawles ne vit pas terré chez lui, ni recroquevillé sur lui-même*, assure Yvonne Sicard, l'épouse du seul médecin de l'île. *On le croise souvent au volant de sa Mini Moke, lorsqu'il vient faire ses courses au* Ed's Corner, *l'unique supérette de la ville.*» Il fréquente aussi le pub de l'île, «*notamment lors des retransmissions des matchs de l'Olympique de Marseille*», précise le patron de l'établissement. L'un des habitués du pub note que «*Nathan n'est pas le sauvage que décrivent parfois les journalistes. C'est plutôt un gars agréable qui connaît bien le foot et qui aime le whisky japonais*». Un seul sujet de conversation peut le mettre en rogne: «*Si vous essayez de le brancher sur ses livres ou sur la littérature, il finira par quitter la salle.*»

La vie secrète des écrivains

UN VIDE DANS LA LITTÉRATURE

Du côté de ses confrères écrivains, on trouve de nombreux inconditionnels de Fawles. Tom Boyd, par exemple, lui voue une admiration sans bornes. «*Je lui dois certaines de mes plus belles émotions de lecture et il fait indéniablement partie des écrivains envers lesquels j'ai une dette*», affirme ainsi l'auteur de *La Trilogie des anges*. Même son de cloche de la part de Thomas Degalais, lequel considère que Fawles a bâti en trois livres très différents une œuvre originale qui fera date. «*Bien sûr, comme tout le monde je regrette qu'il se soit retiré de la scène littéraire*, déclare le romancier français. *Sa voix manque à notre époque. J'aimerais que Nathan revienne dans l'arène en écrivant un nouveau roman, mais je pense que ça n'arrivera jamais.*»

C'est probable en effet, mais n'oublions pas que Fawles a choisi pour exergue de son dernier roman cette phrase du *Roi Lear*: «*Ce sont les étoiles, les étoiles tout là-haut, qui gouvernent notre existence.*»

Jean-Michel Dubois

L'ÉCRIVAIN
QUI N'ÉCRIVAIT PLUS

Éditions Calmann-Lévy
21, rue du Montparnasse
75006 Paris

N° d'identification : 379529

M. Raphaël Bataille
75, avenue Aristide-Briand
92120 Montrouge

Paris, le 28 mai 2018

Monsieur,

Nous avons bien reçu votre manuscrit *La Timidité des cimes*, et nous vous remercions de la confiance que vous accordez à notre maison d'édition.

Votre manuscrit a été examiné avec attention par notre comité de lecture, malheureusement il ne correspond pas au type d'ouvrages que nous recherchons actuellement.

Nous vous souhaitons de trouver au plus vite un éditeur pour ce texte.

Bien cordialement,

Le secrétariat littéraire

P-S : Votre manuscrit reste à votre disposition dans nos locaux pendant un mois. Au cas où vous voudriez le recevoir en retour par la poste, merci de nous faire parvenir une enveloppe timbrée.

1

La première qualité d'un écrivain

La première qualité d'un écrivain,
c'est d'avoir de bonnes fesses.
Dany LAFERRIÈRE

Mardi 11 septembre 2018

1.

Le vent faisait claquer les voiles dans un ciel éclatant.

Le dériveur avait quitté les côtes varoises un peu après 13 heures et filait à présent à la vitesse de cinq nœuds en direction de l'île Beaumont. Près du poste de barre, assis à côté du skipper, je m'enivrais des promesses de l'air du large, m'abîmant tout entier dans la contemplation de la limaille dorée qui scintillait sur la Méditerranée.

Le matin même, j'avais abandonné mon studio de la région parisienne pour attraper le TGV de 6 heures qui ralliait Avignon. Dans la cité des Papes, j'avais pris un bus jusqu'à Hyères, puis un taxi jusqu'au petit port de Saint-Julien-les-Roses, seul embarcadère proposant des traversées en ferry à destination de l'île Beaumont. À cause d'un énième retard de la SNCF, j'avais loupé de cinq minutes l'unique navette de la mi-journée. Alors que j'errais sur le quai en traînant ma valise, le capitaine d'un voilier néerlandais qui s'apprêtait à partir chercher ses clients sur l'île m'avait gentiment offert de faire le trajet avec lui.

Je venais d'avoir vingt-quatre ans et j'étais à un moment compliqué de mon existence. Deux ans plus tôt, j'étais sorti diplômé d'une école de commerce parisienne, mais je n'avais pas cherché d'emploi correspondant à ma formation. Je n'avais fait ces études que pour rassurer mes parents, et je ne voulais pas d'une vie scandée par la gestion, le marketing ou la finance. Ces deux dernières années, j'avais jonglé avec des petits boulots pour payer mon loyer, mais j'avais consacré toute mon énergie créative à l'écriture d'un roman, *La Timidité des cimes*, qui venait d'être rejeté par une dizaine de maisons d'édition. J'avais punaisé toutes les lettres de refus sur le panneau au-dessus de mon bureau. Chaque fois que j'avais enfoncé une épingle dans la surface de liège, j'avais eu l'impression de me l'enfoncer dans le cœur tant mon accablement était à la mesure de ma passion pour l'écriture.

Heureusement, cette déprime ne durait jamais très longtemps. Jusqu'à présent, j'étais toujours parvenu à me persuader que ces échecs étaient l'antichambre de la réussite. Pour y croire, je m'accrochais à des exemples illustres. Stephen King répétait souvent que trente maisons d'édition avaient refusé *Carrie*. La moitié des éditeurs londoniens avaient trouvé le premier tome de *Harry Potter* «beaucoup trop long pour des enfants». Avant d'être le roman de science-fiction le plus vendu au monde, *Dune* de Frank Herbert avait essuyé une vingtaine de rejets. Quant à Francis Scott Fitzgerald, il avait, paraît-il, tapissé les murs de son bureau avec les cent vingt-deux lettres de refus envoyées par les magazines à qui il avait proposé ses nouvelles.

2.

Mais cette méthode Coué commençait à connaître ses limites. Malgré toute ma volonté, j'avais du mal à me remettre à écrire. Ce n'était pas le syndrome de la page blanche ou le manque d'idées qui me paralysait. C'était l'impression pernicieuse de ne plus progresser dans mon écriture. L'impression de ne plus très bien savoir où aller. J'aurais eu besoin d'un œil neuf sur mon travail. Une présence à la fois bienveillante et sans concession. En début d'année, je m'étais inscrit à un cours de *creative writing* organisé par une prestigieuse maison d'édition. J'avais fondé beaucoup d'espoir sur cet atelier d'écriture, mais j'avais vite déchanté. L'écrivain qui l'animait – Bernard Dufy, un romancier qui avait eu son heure de gloire dans les années 1990 – se présentait comme *un orfèvre du style* – c'étaient ses propres mots. «Tout votre travail doit porter sur *la langue* et non sur l'histoire, répétait-il à longueur de temps. Le récit n'est là que pour servir *la langue*. Un livre ne peut pas avoir d'autre but que la recherche de la forme, du rythme, de l'harmonie. C'est là que réside la seule originalité possible, car, depuis Shakespeare, toutes les histoires ont déjà été écrites.»

Les 1 000 euros que j'avais déboursés pour cette leçon d'écriture – en trois séances de quatre heures – m'avaient mis en colère et sur la paille. Peut-être Dufy avait-il raison, mais personnellement, je pensais exactement le contraire : le style n'était pas une fin en soi. La première qualité d'un écrivain était de savoir captiver son lecteur par une bonne histoire. Un récit capable de l'arracher à son existence pour le projeter au cœur de l'intimité et de la vérité des personnages.

Le style n'était que le moyen d'innerver la narration et de la rendre vibrante. Au fond, je n'avais que faire de l'avis d'un écrivain académique comme Dufy. Le seul avis que j'aurais aimé recevoir, le seul qui aurait eu de l'importance à mes yeux était celui de mon idole de toujours : Nathan Fawles, mon écrivain préféré.

J'avais découvert ses livres à la fin de l'adolescence, à une époque où Fawles avait déjà cessé d'écrire depuis longtemps. *Les Foudroyés*, son troisième roman, m'avait été offert par Diane Laborie, ma petite amie de terminale, en guise de cadeau de rupture. Le roman m'avait davantage ébranlé que la perte d'un amour qui n'en était pas un. J'avais enchaîné avec ses deux premiers livres : *Loreleï Strange* et *Une petite ville américaine*. Depuis, je n'avais plus rien lu d'aussi stimulant.

Par son écriture unique, Fawles me semblait s'adresser directement à moi. Ses romans étaient fluides, vivants, intenses. Moi qui ne suis pourtant fan de personne, j'avais lu et relu ses livres car ils me parlaient de moi, de la relation aux autres, de la difficulté à tenir le gouvernail de sa vie, de la vulnérabilité des hommes et de la fragilité de notre existence. Ils me donnaient de la force et décuplaient mon envie d'écrire.

Dans les années qui avaient suivi sa retraite, d'autres auteurs avaient essayé de se couler dans son style, d'aspirer son univers, de calquer sa façon de construire un récit ou de singer sa sensibilité. Mais pour moi, personne n'était parvenu à sa cheville. Il n'y avait qu'un seul Nathan Fawles. Qu'on l'aime ou pas, on était forcé de reconnaître que Fawles était un auteur singulier. Même en lecture à l'aveugle, il suffisait de parcourir une page d'un de ses livres pour savoir que c'était lui qui l'avait écrite. Et j'ai toujours pensé que là était la véritable marque du talent.

Moi aussi, j'avais décortiqué ses romans pour essayer d'en percer les secrets, puis j'avais nourri l'ambition d'établir un contact avec lui. Bien que sans espoir sur mes chances d'obtenir une réponse, je lui avais écrit plusieurs fois via sa maison d'édition en France et son agent aux États-Unis. Je lui avais aussi envoyé mon manuscrit.

Puis, il y a dix jours, sur la newsletter expédiée par le site officiel de l'île Beaumont, j'avais repéré une offre d'emploi. *La Rose Écarlate*, la petite librairie de l'île, cherchait un employé. J'avais postulé directement en adressant un mail au libraire et, le jour même, Grégoire Audibert, le patron de la librairie, m'avait appelé par FaceTime pour m'annoncer qu'il retenait ma candidature. Le poste était à pourvoir pour trois mois. Le salaire n'était pas terrible, mais Audibert m'assurait un logement et deux repas par jour au *Fort de Café*, l'un des restaurants de la place du village.

J'étais ravi d'avoir décroché ce travail qui, d'après ce que j'avais cru comprendre des propos du libraire, me laisserait du temps pour écrire dans un cadre inspirant. Et qui, j'en avais la certitude, me donnerait l'occasion de rencontrer Nathan Fawles.

3.

Une manœuvre du skipper ralentit l'allure du voilier.

— Terre, droit devant ! cria-t-il en désignant du menton la silhouette de l'île qui se découpait à l'horizon.

Située à trois quarts d'heure de bateau des côtes varoises, l'île Beaumont avait la forme d'un croissant. Un arc de cercle d'une quinzaine de kilomètres de long sur six de large. On la présentait toujours comme un écrin sauvage et préservé. Une des perles de la Méditerranée, où alternaient criques aux eaux turquoise, calanques, pinèdes et plages de sable fin. La Côte d'Azur éternelle, sans les touristes, la pollution et le béton.

Ces dix derniers jours, j'avais eu tout le temps de compulser la documentation que j'avais pu trouver sur l'île. Depuis 1955, Beaumont appartenait à une discrète famille d'industriels italiens, les Gallinari, qui, au début des années 1960, avaient investi des sommes folles dans son aménagement, menant de grands travaux d'adduction d'eau et de terrassement et créant *ex nihilo* l'un des premiers ports de plaisance de la côte.

Au fil des années, le développement de l'île s'était poursuivi selon une ligne claire : ne jamais sacrifier le bien-être de ses habitants sur l'autel d'une prétendue modernité. Et pour les insulaires, les menaces avaient deux visages bien identifiés : les spéculateurs et les touristes.

Pour limiter les constructions, le Conseil de l'île avait adopté une règle simple qui consistait à geler le nombre global de compteurs d'eau. Une stratégie copiée sur ce qu'avait fait pendant longtemps la petite ville de Bolinas en Californie. Résultat, depuis trente ans, la population tournait autour des mille cinq cents âmes. Il n'y avait pas d'agence immobilière à Beaumont : une partie des biens se transmettait de famille en famille, et le reste par cooptation. Quant au tourisme, il était contenu grâce à une maîtrise vigilante des liaisons avec le continent. En pleine saison comme au milieu de l'hiver, une seule navette – le fameux *Téméraire*, qu'on appelait abusivement le «ferry» – effectuait trois allers-retours par jour, et pas un de plus, à 8 heures, 12 h 30 et 19 heures depuis l'embarcadère de Beaumont vers celui de Saint-Julien-les-Roses. Tout ça se faisait à l'ancienne : sans réservation préalable et en donnant toujours la priorité aux résidents.

Pour être exact, Beaumont n'était pas hostile à la venue des touristes, mais rien n'y était prévu pour eux. L'île comptait en tout et pour tout trois cafés, deux restaurants et un pub. Il n'y avait pas d'hôtel et les locations chez l'habitant étaient rares. Mais plus on dissuadait les gens d'y venir, plus l'endroit gagnait en mystère et devenait un lieu prisé. À côté de la population locale qui vivait ici à l'année, de riches résidents y possédaient des maisons secondaires. Au fil des décennies, des industriels et quelques artistes s'étaient enthousiasmés pour ce cadre chic, bucolique et serein. Un patron d'entreprise high-tech et deux ou trois figures de l'industrie viticole avaient réussi à racheter des villas. Mais, quel que soit son niveau de notoriété ou de richesse, tout le monde faisait profil bas. La communauté n'était pas rétive à assimiler de nouveaux membres, à condition que ces derniers acceptent les valeurs qui de tout temps avaient régi l'âme de Beaumont. D'ailleurs, les récents arrivés se montraient souvent les plus farouches à défendre leur île d'adoption.

Cet entre-soi suscitait bien des critiques – voire exaspérait ceux qui en étaient exclus. Au début des années 1980, le gouvernement socialiste avait eu des velléités de racheter Beaumont – officiellement pour classer le site, mais en réalité pour mettre fin au statut dérogatoire de l'île. S'en était suivie une levée massive de boucliers et le gouvernement avait dû battre en retraite. Depuis cette époque, l'Administration s'était fait une raison : l'île Beaumont était un endroit particulier. Et il existait bien, à quelques encablures des côtes varoises, un petit paradis baigné par des eaux cristallines. Un bout de France qui n'était pas tout à fait la France.

4.

Une fois à terre, je traînai ma valise sur les pavés du débarcadère. Le port de plaisance n'était pas très grand, mais bien aménagé, animé et plein de charme. La petite ville se déployait tout autour de la baie, un peu à la manière d'un amphithéâtre : des strates de

maisons colorées qui étincelaient sous le ciel métallique. Leur éclat et leur disposition me rappelèrent
l'île grecque de Hydra que j'avais visitée adolescent
avec mes parents, mais l'instant d'après, en déambu-
lant dans les ruelles étroites et pentues, j'étais dans
l'Italie des années 1960. Plus tard encore, ayant pris
de la hauteur, j'aperçus pour la première fois les plages
et leurs dunes blanches, et je songeai aux étendues
sablonneuses du Massachusetts. Lors de ce premier
contact avec l'île – alors que les roulettes de ma valise
résonnaient sur le pavé des artères qui menaient au
centre-ville –, je compris que la singularité et la magie
de Beaumont tenaient justement dans cet agrégat
insaisissable. Beaumont était un lieu caméléon, un
site unique et inclassable qu'il était vain de vouloir
analyser ou expliquer.

J'arrivai rapidement sur la place centrale. Avec ses
allures de village provençal, l'endroit semblait cette
fois sortir d'un roman de Giono. La place des Martyrs
était le centre névralgique de Beaumont. Une esplanade ombragée, encadrée par une tour de l'horloge,
un monument aux morts, une fontaine chantante et
un terrain de jeu de boules.

Sous les treilles, côte à côte, voisinaient les deux
restaurants de l'île : *Un Saint Jean Hiver* et *Le Fort*

de Café. À la terrasse de ce dernier, je reconnus le physique sec de Grégoire Audibert, qui terminait des artichauts à la poivrade. Il avait une allure d'instit vieille école : barbichette poivre et sel, petit gilet, longue veste en lin froissé.

Le libraire m'identifia lui aussi et, grand seigneur, m'invita à sa table, m'offrant une limonade comme si j'avais douze ans.

— Je préfère vous prévenir tout de suite : je ferme la librairie à la fin de l'année, m'annonça-t-il sans prendre de gants.

— Comment ça ?

— C'est pour cette raison que je cherche un employé : pour faire du rangement, un peu de comptabilité et un grand inventaire final.

— Vous mettez la clé sous la porte ?

Il hocha la tête en sauçant un reste d'huile d'olive avec son pain.

— Mais pourquoi ?

— Ce n'est plus tenable. Mon activité a baissé continûment au fil des années et ça ne va pas s'arranger. Enfin, vous connaissez le topo : les pouvoirs publics laissent tranquillement prospérer les géants du Net qui ne paient pas leurs impôts en France.

Le libraire soupira, demeura pensif quelques secondes et ajouta, mi-fataliste, mi-provocateur :

— Et puis, soyons réalistes : pourquoi s'emmerder à venir dans une librairie quand vous pouvez vous faire livrer un bouquin en trois clics sur votre iPhone !

— Pour plein de raisons ! Vous avez essayé de trouver un repreneur ?

Audibert haussa les épaules.

— Ça n'intéresse personne. Aujourd'hui, rien n'est moins rentable que le livre. Ma librairie n'est pas la première à fermer et elle ne sera pas la dernière.

Il versa le reste de son pichet de vin dans son verre qu'il but d'un trait.

— Je vais vous faire visiter *La Rose Écarlate*, dit-il en pliant sa serviette et en se levant.

Dans son sillage, je traversai la place jusqu'à la librairie. La vitrine, triste à mourir, exposait des bouquins qui devaient prendre la poussière depuis des mois. Audibert poussa la porte et s'écarta pour me laisser passer.

L'intérieur de la boutique était sinistre, lui aussi. Des tentures privaient l'endroit de toute luminosité. Les étagères en noyer avaient certes du cachet, mais elles n'accueillaient que des références très classiques, pointues, voire snobs. La culture dans ce qu'elle avait de plus académique. Tel que je commençais à cerner le personnage, j'imaginai un instant Audibert avoir une attaque cardiaque si on l'avait obligé à vendre de la science-fiction, de la fantasy ou des mangas.

— Je vais vous montrer votre chambre, dit-il en désignant un escalier en bois au fond du magasin.

Le libraire avait ses appartements au premier étage. Mon logement était situé au deuxième : un studio mansardé qui s'étendait tout en longueur. En ouvrant les portes-fenêtres grinçantes, j'eus l'heureuse surprise de découvrir un balcon-terrasse qui surplombait la place. La vue spectaculaire qui portait jusqu'à la mer me remonta un peu le moral. Un dédale de ruelles serpentait entre les constructions ocre en pierres patinées avant de rejoindre le rivage.

Après avoir rangé mes affaires, je descendis retrouver Audibert à la librairie pour faire un point sur ce qu'il attendait vraiment de moi.

— Le wi-fi ne marche pas très bien, prévint-il en allumant un vieux PC. Il faut souvent relancer la box qui est installée à l'étage.

Le temps que l'ordinateur se réveille, le libraire brancha une petite plaque de cuisson et remplit le réservoir d'une cafetière moka.

— Un café ?

— Avec plaisir.

Tandis qu'il préparait nos deux tasses, je déambulai dans la boutique. Sur le panneau en liège derrière le bureau étaient épinglées de vieilles unes de *Livres Hebdo*, datant d'une époque où Romain Gary écrivait encore (j'exagère à peine...). J'avais envie d'ouvrir en grand les rideaux, d'enlever les tapis pourpres et élimés, de réorganiser de fond en comble les rayonnages et les tables de présentation des ouvrages.

Comme s'il lisait dans mes pensées, Audibert prit la parole :

— *La Rose Écarlate* existe depuis 1967. La librairie ne paie pas de mine aujourd'hui, mais c'était une véritable institution autrefois. Beaucoup d'auteurs, français et étrangers, sont venus faire des rencontres ou des dédicaces ici.

Il sortit d'un tiroir un livre d'or à la reliure en cuir et me tendit l'ouvrage pour m'inciter à le feuilleter. Au gré des clichés, je reconnus en effet Michel Tournier, J.M.G. Le Clézio, Françoise Sagan, Jean d'Ormesson, John Irving, John Le Carré et... Nathan Fawles.

— Vous allez vraiment fermer la librairie ?

— Sans regret, affirma-t-il. Les gens ne lisent plus, c'est comme ça.

Je nuançai :

— Les gens lisent peut-être différemment, mais ils lisent toujours.

Audibert tourna le gaz pour couper le sifflement de la cafetière italienne.

— Enfin, vous voyez ce que je veux dire. Je ne vous parle pas de divertissement, je vous parle de la *vraie* littérature.

Bien sûr, la fameuse « vraie littérature »... Il y avait toujours un moment avec les gens comme Audibert où cette expression – ou celle de « vrai écrivain » – revenait sur le tapis. Or je n'avais jamais laissé à personne le droit de me dire ce que je devais lire ou pas. Et cette façon de s'ériger en juge pour décider ce qui était de la littérature et ce qui n'en était pas me paraissait d'une prétention sans bornes.

— Vous connaissez beaucoup de vrais lecteurs autour de vous ? s'anima le libraire. Je vous parle de lecteurs intelligents qui consacrent un temps significatif à lire des livres sérieux.

Sans attendre ma réponse, il continua à s'enflammer :

— Entre nous, combien reste-t-il de vrais lecteurs en France ? Dix mille ? Cinq mille ? Moins peut-être.

— Je vous trouve pessimiste.

— Non, non ! Il faut s'y résoudre : nous entrons dans un désert littéraire. Aujourd'hui, tout le monde veut être écrivain et plus personne ne lit.

Pour sortir de cette conversation, je lui montrai la photo de Fawles collée dans l'album.

— Nathan Fawles, vous le connaissez ?

Audibert fronça les sourcils avec une moue méfiante.

— Un peu. Enfin, si tant est qu'on puisse connaître Nathan Fawles...

Il me servit une tasse d'un café qui avait la couleur et la consistance de l'encre.

— Lorsque Fawles est venu dédicacer son livre ici en 1995 ou 1996, c'était la première fois qu'il mettait les pieds sur l'île. Il en est tout de suite tombé amoureux. C'est même moi qui l'ai aidé à acheter sa maison, *La Croix du Sud*. Mais par la suite, nos rapports sont devenus quasi inexistants.

— Il vient encore à la librairie parfois ?

— Non, jamais.

— Si je vais le voir, vous pensez qu'il acceptera de me dédicacer un livre ?

Audibert secoua la tête en soupirant :

— Je vous conseille vraiment d'oublier cette idée : c'est le meilleur moyen de vous prendre un coup de fusil.

Entretien de Nathan Fawles à l'AFP
AFP – 12 juin 1999 [extrait]

Vous nous confirmez qu'à trente-cinq ans, en pleine gloire, vous mettez un terme à votre carrière de romancier ?
Oui, j'en ai fini avec tout ça. J'écris sérieusement depuis dix ans. Dix ans que je suis tous les matins le cul sur une chaise, le regard rivé sur mon clavier. Je ne veux plus de cette vie.

Votre décision est irrévocable ?
Oui. L'art est long, la vie est brève.

L'année dernière, vous annonciez pourtant travailler à un nouveau roman, provisoirement intitulé *Un invincible été*...
Le projet n'a pas dépassé le stade de l'ébauche et je l'ai définitivement abandonné.

Quel message adressez-vous à vos nombreux lecteurs qui attendent votre prochain ouvrage ?
Qu'ils arrêtent d'attendre. Je n'écrirai plus de livres. Qu'ils lisent d'autres auteurs. Ce n'est pas ce qui manque.

Écrire est difficile ?

Oui, mais sans doute moins que beaucoup d'autres boulots. Ce qui est compliqué et source d'angoisse, c'est le côté irrationnel de l'écriture : ce n'est pas parce que vous avez écrit trois romans que vous saurez écrire le quatrième. Il n'y a pas de méthodes, de règles, de parcours fléché. Chaque fois que vous débutez un nouveau roman, c'est le même saut dans l'inconnu.

Justement, que savez-vous faire à part écrire ?

Il paraît que je fais très bien la blanquette de veau.

Pensez-vous que vos romans passeront à la postérité ?

J'espère bien que non.

Quel rôle peut jouer la littérature dans la société contemporaine ?

Je ne me suis jamais posé la question et je n'ai pas l'intention de commencer aujourd'hui.

Vous avez également pris la décision de ne plus donner d'interviews ?

J'en ai déjà trop donné... C'est un exercice faussé qui n'a plus grand sens, hormis la promotion. Le plus souvent – pour ne pas dire toujours –, vos propos sont rapportés de manière inexacte, tronqués, sortis de leur contexte. J'ai beau chercher, je ne trouve aucune satisfaction à « expliquer » mes romans, et encore moins à répondre à des questions sur mes préférences politiques ou sur ma vie privée.

Connaître la biographie des écrivains que l'on admire permet pourtant de mieux comprendre leurs écrits...
Comme Margaret Atwood, je pense que vouloir rencontrer un écrivain parce qu'on aime son livre, c'est comme vouloir rencontrer un canard parce qu'on aime le foie gras.

Mais n'est-il pas légitime d'éprouver l'envie d'interroger un écrivain sur le sens de son travail ?
Non, ce n'est pas légitime. La seule relation valable avec l'écrivain, c'est de le lire.

2

Apprendre à écrire

Le métier d'écrivain fait apparaître celui du jockey comme une situation stable.

John STEINBECK

Une semaine plus tard
Mardi 18 septembre 2018

1.

La tête basse, les mains crispées sur le guidon, je donnais les derniers coups de pédales pour accéder au sommet de l'extrémité est de l'île. Je suais à grosses gouttes. Mon vélo de location semblait peser une tonne et mon sac à dos me cisaillait les épaules.

Il ne m'avait pas fallu longtemps pour tomber à mon tour amoureux de Beaumont. Depuis huit jours que je vivais ici, j'avais profité de mes moments de loisir pour arpenter l'île dans tous les sens et me familiariser avec sa topographie.

À présent, je connaissais presque par cœur la côte nord de Beaumont. Là où se trouvaient le port, la ville principale et les plus belles plages. Colonisée par les falaises et les rochers, la côte sud était moins accessible, plus sauvage, mais pas moins belle. Je ne m'y étais aventuré qu'une seule fois, sur la presqu'île Sainte-Sophie, pour apercevoir le monastère du même nom où vivaient encore une vingtaine de bénédictines.

À l'opposé, la pointe du Safranier où je me rendais à présent n'était pas desservie par la Strada Principale, la route d'une quarantaine de kilomètres qui faisait le tour de l'île. Pour y accéder, il fallait dépasser la dernière plage du nord – celle de l'anse d'Argent – et emprunter sur deux kilomètres un étroit chemin de terre au milieu d'une forêt de pins.

D'après les renseignements que j'avais réussi à glaner dans la semaine, l'entrée de la propriété de Nathan Fawles se trouvait au bout de ce chemin, qui répondait au joli nom de sentier des Botanistes. Lorsque j'y arrivai enfin, je ne trouvai qu'un portail en aluminium encastré dans un haut mur d'enceinte en moellons de schiste. Pas de boîte aux lettres ni aucune mention du propriétaire. La maison s'appelait en théorie *La Croix du Sud*, mais ce n'était indiqué nulle part. Seules quelques pancartes vous accueillaient chaleureusement : *Propriété privée, Défense d'entrer, Chien méchant, Domaine sous surveillance vidéo...* Il n'y avait même pas la possibilité de sonner ou de signaler sa présence de quelque manière que ce soit. Le message était très clair : « Qui que vous soyez, vous n'êtes pas le bienvenu. »

J'abandonnai mon vélo et longeai à pied le mur d'enceinte. À un moment, la forêt cédait la place à un maquis touffu de bruyère, de myrte et de lavande sauvage. Au bout de cinq cents mètres, je débouchai sur une falaise qui plongeait dans la mer.

Au risque de me briser les os, je me laissai glisser sur les rochers jusqu'à trouver un point d'appui. Je crapahutai le long d'un à-pic que je parvins à enjamber à l'endroit où la paroi devenait moins raide. Cet obstacle franchi, je continuai à suivre la côte sur une cinquantaine de mètres et, au détour d'une masse rocheuse, je l'aperçus enfin : la demeure de Nathan Fawles.

Construite à flanc de falaise, la villa paraissait incrustée dans la roche. Dans la grande tradition de l'architecture moderne, c'était un parallélépipède strié de dalles en béton armé brut de décoffrage. Trois niveaux se détachaient, flanqués de terrasses et desservis par un escalier de pierre qui menait directement à la mer. Le socle de la bâtisse semblait faire corps avec la falaise. Il était ponctué d'une série de hublots, comme sur un paquebot. La porte haute et large qui le perçait laissait deviner qu'il servait de hangar à bateau. Devant lui s'avançait un ponton en bois au bout duquel était amarré un canot à moteur à la coque de bois brillant.

Alors que je continuais à progresser prudemment sur les rochers, je crus apercevoir une ombre qui se déplaçait sur la terrasse intermédiaire. Était-il possible que ce soit Fawles lui-même ? Je mis ma main en visière pour essayer de mieux distinguer la silhouette. Il s'agissait de celle d'un homme en train... d'épauler un fusil.

2.

J'eus à peine le temps de me jeter derrière un rocher qu'un coup de feu claqua dans l'air. À quatre ou cinq mètres derrière moi, l'impact de la balle projeta des éclats aigus qui crépitèrent à mes oreilles. Je restai prostré une bonne minute. Mon cœur cognait. Tout mon corps tremblait et un filet de sueur coulait le long de mon échine. Audibert ne m'avait pas menti. Fawles avait complètement disjoncté et pratiquait le tir au pigeon sur les intrus qui s'aventuraient dans

sa propriété. Je demeurai plaqué au sol ; je ne respirais plus. Après cette première sommation, la voix
de la raison me hurlait de prendre mes jambes à mon
cou sans demander mon reste. Pourtant, je décidai de
ne pas reculer. Au contraire, je me relevai et repris
mon avancée vers la maison. Fawles était maintenant
descendu à l'étage inférieur, sur la dalle surélevée
qui dominait les rochers. Un deuxième coup de feu
atteignit un tronc d'arbre que le vent avait abattu.
Le rondin explosa en gerbes de bois mort qui
m'éraflèrent le visage. J'avais peur comme jamais.
Obstinément, je persistai presque malgré moi à
sauter d'un rocher à l'autre. Nathan Fawles, l'homme
dont j'avais tant aimé les romans, ne pouvait pas être
un assassin en puissance. Pour mieux me détromper,
un troisième coup de feu fit voler la poussière à
cinquante centimètres seulement de mes Converse.

Bientôt, je ne fus qu'à quelques mètres de lui.

— Dégage ! Tu es sur une propriété privée ! lança-t-il
du haut de la dalle.

— Ce n'est pas une raison pour me tirer dessus !

— Pour moi, ça l'est !

J'avais le soleil dans les yeux. Insaisissable, la
silhouette de Fawles se détachait à contre-jour. Taille
moyenne, mais physique solide, il portait un panama

et des lunettes de soleil aux reflets bleutés. Surtout, il avait toujours son fusil pointé sur moi, prêt à faire feu.

— Qu'est-ce que tu viens foutre ici ?

— Je suis venu vous voir, monsieur Fawles.

Je fis glisser mon sac à dos pour en sortir le manuscrit de *La Timidité des cimes*.

— Je m'appelle Raphaël Bataille. J'ai écrit un roman. J'aimerais que vous le lisiez pour me donner votre avis.

— Je n'en ai rien à battre de ton roman. Et rien ne t'autorise à venir me harceler chez moi.

— Je vous respecte trop pour vous harceler.

— C'est pourtant ce que tu fais. Si tu me respectais vraiment, tu respecterais aussi mon droit à ne pas être dérangé.

Un chien magnifique – un golden retriever au poil blond – venait de rejoindre Fawles sur la terrasse et aboyait dans ma direction.

— Pourquoi as-tu continué à avancer alors que je te canardais ?

— Je savais que vous ne me tueriez pas.

— Pourquoi donc ?

— Parce que vous avez écrit *Loreleï Strange* et *Les Foudroyés*.

Toujours aveuglé par le contre-jour, je l'entendis ricaner.

— Si tu crois que les écrivains possèdent les vertus morales qu'ils prêtent à leurs personnages, tu es vraiment naïf. Et même un peu con.

— Écoutez, je voudrais juste des conseils de votre part. Pour améliorer mon écriture.

— Des conseils ? Mais aucun conseil n'a jamais rendu un écrivain meilleur ! Si tu avais trois sous de jugeote, tu l'aurais déjà compris par toi-même.

— Donner un peu de son attention aux autres ne fait de mal à personne.

— Personne ne peut *t'apprendre* à écrire. C'est quelque chose que tu dois apprendre seul.

Pensif, Fawles baissa un instant la garde pour caresser la tête de son chien, avant de reprendre :

— Bon, tu voulais un conseil, tu l'as eu. Barre-toi maintenant.

— Je peux vous laisser mon manuscrit ? demandai-je en sortant les pages reliées de mon sac à dos.

— Non, je ne le lirai pas. Aucune chance.

— Pétard, vous n'êtes pas commode !

— Pour le même prix, je vais pourtant te donner un autre conseil : fais autre chose de ta vie que de vouloir devenir écrivain.

— C'est ce que me disent tout le temps mes parents.

— Eh bien, ça prouve qu'ils sont moins cons que toi.

3.

Un coup de vent soudain prolongea une vague jusqu'à mon promontoire. Pour l'éviter, j'escaladai un autre groupe de rochers, ce qui me rapprocha encore de l'écrivain. Il tenait de nouveau son fusil à pompe coincé sous son épaule. Un Remington Wingmaster à double bras coulissant, comme on en voyait parfois dans les vieux films, même si celui-ci était profilé en fusil de chasse.

— Tu t'appelles comment, déjà ? demanda-t-il lorsque la vague fut passée.

— Raphaël, Raphaël Bataille.

— Et tu as quel âge ?

— Vingt-quatre ans.

— Depuis quand veux-tu écrire ?

— Depuis toujours. Il n'y a que ça qui m'intéresse.

Profitant de ce que j'avais son attention, je me lançai dans un monologue pour expliquer combien, depuis l'enfance, la lecture et l'écriture avaient été mes bouées de sauvetage pour endurer la médiocrité et l'absurdité du monde. Combien, grâce aux livres, je m'étais bâti une citadelle intérieure qui…

— Tu vas aligner les clichés pendant longtemps ? m'interrompit-il.

— Ce ne sont pas des clichés, protestai-je, vexé, en rangeant mon manuscrit dans le sac à dos.

— Si j'avais ton âge aujourd'hui, j'aurais d'autres ambitions que de vouloir devenir écrivain.

— Pourquoi ?

— Parce que l'existence d'un écrivain est le truc le moins glamour du monde, soupira Fawles. Tu mènes une vie de zombie, solitaire et coupée des autres. Tu restes toute la journée en pyjama à t'abîmer les yeux devant un écran en bouffant de la pizza froide et en parlant à des personnages imaginaires qui finissent par te rendre fou. Tu passes tes nuits à suer sang et eau pour torcher une phrase que les trois quarts de tes maigres lecteurs ne remarqueront même pas. C'est ça, être écrivain.

— Enfin, ce n'est pas que ça…

Fawles continua comme s'il n'avait rien entendu :

— Et le pire, c'est que tu finis par devenir accro à cette existence de merde parce que tu te donnes l'illusion, avec ton stylo et ton clavier, d'être un démiurge et de pouvoir rafistoler la réalité.

— C'est facile pour vous de dire ça. Vous avez tout eu.

— Qu'est-ce que j'ai eu ?

— Des millions de lecteurs, la célébrité, l'argent, des prix littéraires, des filles dans votre lit.

— Franchement, si tu écris pour l'argent ou les filles, choisis une autre activité.

— Vous voyez ce que je veux dire.

— Non. Et je ne sais même pas pourquoi je discute avec toi.

— Je vous laisse mon manuscrit.

Fawles protesta, mais sans perdre de temps je lançai le sac vers la terrasse sur laquelle il se tenait.

Surpris, l'écrivain tenta de s'écarter pour éviter d'être percuté. Son pied droit glissa et il chuta sur la roche.

Il étouffa un cri, chercha à se relever immédiatement en laissant échapper un juron :

— Bordel de bordel. Ma cheville !

— Je suis confus. Je vais vous aider.

— N'approche pas ! Si tu veux m'aider, barre-toi le plus loin possible et ne reviens jamais !

Il ramassa son arme et me mit en joue. Cette fois, je ne doutais plus qu'il soit capable de me fusiller sur place. Je fis volte-face et m'enfuis, dérapant sur les rochers, me rattrapant d'une main puis de l'autre sans beaucoup de dignité pour échapper à la colère de l'écrivain.

À mesure que je m'éloignais, je me demandais comment Nathan Fawles pouvait aujourd'hui tenir ce discours désabusé. J'avais lu quantité d'interviews de lui antérieures à 1999. Avant de se retirer de la scène littéraire, Fawles ne se faisait pas prier pour intervenir dans les médias. Il y déroulait toujours des propos bienveillants et mettait en avant son amour de la lecture et de l'écriture. Qu'est-ce qui avait bien pu le faire basculer ?

Pourquoi un homme au faîte de sa gloire abandonne-t-il soudain tout ce qu'il aime faire, tout ce qui le construit et le nourrit, pour s'enfermer dans la solitude ? Qu'est-ce qui s'était déréglé dans la vie de Fawles au point qu'il renonce à tout ça ? Une lourde dépression ? Un deuil ? Une maladie ? Personne n'avait jamais réussi à répondre à ces questions. Quelque chose me disait que, si j'arrivais à percer le mystère Nathan Fawles, je parviendrais également à réaliser mon rêve de publier un livre.

De retour dans la forêt, j'enfourchai mon vélo pour retrouver la route et rejoindre la ville. Ma journée avait été fructueuse. Fawles ne m'avait peut-être pas prodigué la leçon d'écriture que j'attendais, mais il avait fait mieux : il m'avait donné un formidable sujet de roman et l'énergie dont j'avais besoin pour commencer à l'écrire.

3

Les listes de courses des écrivains

Je n'appartiens pas à la clique des mauvais écrivains qui prétendent n'écrire que pour eux-mêmes. Tout ce qu'un auteur écrit pour lui-même, ce sont des listes de courses, qu'il peut jeter ses achats terminés. Tout le reste [...] sont des messages adressés à quelqu'un d'autre.

Umberto Eco

Trois semaines plus tard
Lundi 8 octobre 2018

1.

Nathan Fawles se rongeait les sangs.

À demi allongé dans un fauteuil, son pied droit, plâtré, posé sur une ottomane molletonnée, il se sentait désemparé. Son chien, Bronco – le seul être dont l'existence lui importait sur terre –, était introuvable depuis deux jours. Le golden retriever disparaissait parfois une heure ou deux, jamais davantage. Aucun doute : il lui était arrivé quelque chose. Un accident, une blessure, un enlèvement.

La nuit précédente, Nathan avait téléphoné à Jasper Van Wyck, son agent new-yorkais – son principal lien avec le monde et ce qui se rapprochait le plus d'un ami –, pour solliciter un conseil. Jasper s'était proposé pour appeler tous les commerçants de Beaumont. Il avait également fait composer par un des membres de son équipe une affichette promettant 1 000 euros de récompense à qui retrouverait le chien, et la leur avait expédiée par mail. À présent, il n'y avait plus qu'à attendre et à croiser les doigts.

Nathan soupira en regardant sa cheville plâtrée. Il avait déjà envie d'un whisky alors qu'il n'était même pas 11 heures du matin. Vingt jours qu'il vivait cloîtré à cause de ce petit con de Raphaël Bataille. Au début, il avait pensé que l'entorse était bénigne et qu'il s'en tirerait avec une poche de glace sur l'articulation et quelques comprimés de paracétamol. Mais, lorsqu'il s'était réveillé le lendemain de l'intrusion de ce gamin, il avait compris que les choses allaient être beaucoup plus compliquées. Non seulement sa cheville n'avait pas désenflé, mais encore il lui avait été impossible de faire un pas sans hurler de douleur.

Il avait dû se résoudre à appeler Jean-Louis Sicard, le seul médecin de Beaumont. Un original qui, depuis trente ans, parcourait les quatre coins de l'île sur une vieille mobylette. Le diagnostic de Sicard n'était pas optimiste. Les ligaments de la cheville s'étaient rompus, l'enveloppe de l'articulation était déchirée et un tendon avait lui aussi salement morflé.

Sicard lui avait ordonné un repos complet. Il lui avait surtout posé un plâtre qui lui montait presque jusqu'au genou et qui, depuis trois semaines, le rendait totalement fou.

Avec ses béquilles, Fawles tournait comme un lion en cage, et il bouffait des anticoagulants pour éviter les caillots. Heureusement, dans moins de vingt-quatre heures sonnerait la délivrance. Ce matin, à la première heure, lui qui prenait rarement son téléphone s'était fendu d'un appel au vieux docteur pour vérifier qu'il n'avait pas oublié leur rendez-vous. Fawles avait même essayé de faire venir Sicard le jour même, mais sa tentative s'était soldée par un échec.

2.

La sonnerie du téléphone mural tira Fawles de sa léthargie. L'écrivain ne possédait ni portable, ni adresse mail, ni ordinateur. Juste un vieux combiné en bakélite fixé à un pilier en bois porteur qui délimitait l'espace entre le salon et la cuisine. Fawles ne se servait de cet appareil que pour passer des coups de fil, il ne répondait jamais lui-même aux appels, laissant le répondeur de l'étage du dessus s'enclencher. Aujourd'hui, toutefois, la disparition de son chien lui fit faire une entorse à ses habitudes. Il se mit debout et, appuyé sur ses béquilles, se traîna jusqu'à l'appareil.

C'était Jasper Van Wyck.

— J'ai une formidable nouvelle, Nathan : on a retrouvé Bronco !

Fawles sentit un immense soulagement le traverser.

— Il va bien ?

— Très bien, assura son agent.

— Où l'a-t-on retrouvé ?

— Une jeune femme l'a aperçu sur la route du côté de la presqu'île Sainte-Sophie et l'a conduit chez *Ed's Corner*.

— Tu as dit à Ed de me ramener Bronco ?

— La fille insiste pour le faire elle-même.

Nathan sentait le piège à plein nez. La presqu'île était à l'autre bout de Beaumont, à l'opposé de la pointe du Safranier. Et si cette femme avait enlevé son chien pour pouvoir l'approcher ? Au début des années 1980, une journaliste, Betty Eppes, avait leurré Salinger en mentant sur son identité et en transformant une conversation banale qu'elle avait eue avec lui en une interview qu'elle avait proposée aux journaux américains.

— C'est qui, au juste, cette femme ?

— Mathilde Monney. Une Suissesse, je crois, en vacances sur l'île. Elle loue le *bed & breakfast* près du couvent des bénédictines. Elle est journaliste au *Temps*, à Genève.

Fawles soupira. Ça n'aurait pas pu être une fleuriste, une charcutière, une infirmière, une pilote de ligne... Il fallait que ce soit une *journaliste*.

— Laisse tomber, Jasper, je ne le sens pas.

Il serra le poing et frappa le poteau de bois. Il avait besoin de son chien, et Bronco avait besoin de lui, mais il ne pouvait pas prendre sa voiture pour aller le chercher. Ce n'était pas une raison pour tomber dans un traquenard. *Journaliste au* Temps... Il se souvenait d'un correspondant de ce journal qui l'avait interviewé autrefois à New York. Un type jouant la connivence, mais qui était passé à côté du roman. C'était peut-être les pires : les journalistes qui faisaient une bonne critique de votre livre sans en avoir rien compris.

— C'est peut-être tout simplement un hasard qu'elle soit journaliste, suggéra Jasper.

— Un hasard ? T'es con ou tu te fous de moi ?

— Écoute, ne te prends pas la tête, Nathan. Tu acceptes qu'elle vienne à *La Croix du Sud*, tu récupères ton chien et tu la mets dehors illico presto.

Le combiné dans une main, Fawles se massa les paupières pour s'accorder encore quelques secondes de réflexion. Il se sentait vulnérable avec sa cheville dans le plâtre et détestait cette impression de subir une situation qu'il ne maîtrisait pas.

— D'accord, céda-t-il pourtant. Rappelle-la, rappelle cette Mathilde Monney. Dis-lui de passer en début d'après-midi et explique-lui les consignes pour venir jusqu'ici.

3.

Midi. Après vingt minutes d'argumentation, je venais de réussir à vendre un exemplaire du manga *Quartier lointain*, le chef-d'œuvre de Taniguchi, et j'avais le sourire aux lèvres. En moins d'un mois, j'étais parvenu à transformer la librairie. Ce n'était pas une métamorphose, mais une série de changements significatifs : un espace plus lumineux et aéré, un accueil plus souriant et moins bourru. J'avais même arraché à Audibert le droit de commander quelques références incitant davantage à l'évasion qu'à la réflexion. De petits signaux qui allaient tous dans le même sens : la culture pouvait *aussi* être un plaisir.

Je devais reconnaître au libraire le mérite de m'avoir laissé le champ libre. Il me foutait une paix royale et n'était pas souvent présent dans son magasin, ne sortant de son appartement du premier que pour aller boire des coups sur la place. En me plongeant dans les comptes, je m'étais aperçu qu'il avait beaucoup noirci le tableau. La situation de la librairie était loin d'être catastrophique. Audibert était propriétaire des murs et, comme plusieurs commerçants de Beaumont, il recevait une généreuse subvention versée par la SA Gallinari, propriétaire de l'île. Avec un peu de bonne volonté et pas mal de dynamisme, il était possible de rendre à la librairie tout son éclat, et même, rêvais-je, d'y faire revenir des auteurs.

— Raphaël ?

Peter McFarlane, le propriétaire de la boulangerie de la place, venait de passer une tête dans la librairie. C'était un Écossais sympathique qui, vingt-cinq ans plus tôt, avait quitté une île pour une autre. Sa boulangerie était célèbre pour sa pissaladière et ses fougassettes. Elle répondait au nom de *Bread Pit* pour respecter une tradition un peu ridicule et à mille lieues du côté chic de Beaumont, mais à laquelle les gens semblaient très attachés : donner à chaque commerce un nom fondé sur un jeu de mots. Seuls quelques pisse-froid comme Ed avaient refusé de se prêter à l'exercice.

— Tu viens prendre l'apéro ? me proposa Peter.

Tous les jours, quelqu'un me conviait au cérémonial de l'apéritif. Sur le coup de midi, les gens s'attablaient aux terrasses pour déguster un pastis ou un verre de Terra dei Pini, le vin blanc qui faisait la fierté de l'île. Au début, je trouvais ça folklo, puis très vite, je m'étais pris au jeu. Tout le monde connaissait tout le monde à Beaumont. Où que vous alliez, vous rencontriez toujours un visage familier pour faire un bout de conversation. Les gens prenaient le temps de vivre et de se parler, et pour moi qui avais toujours vécu dans la grisaille, l'agressivité et la pollution de la région parisienne, c'était quelque chose de nouveau.

Je m'attablai avec Peter à la terrasse des *Fleurs du Malt*. D'un air détaché, je scrutai les visages autour de moi à la recherche d'une jeune femme blonde. Une cliente de la librairie que j'avais croisée la veille. Elle s'appelait Mathilde Monney. Elle était en vacances à Beaumont où elle louait une chambre dans une maison près du couvent des bénédictines. Elle m'avait acheté les trois romans de Nathan Fawles qu'elle affirmait pourtant avoir déjà lus. Intelligente, drôle, lumineuse. On avait discuté vingt minutes et je ne m'en étais toujours pas remis. Depuis, l'idée de la revoir me trottait dans la tête.

Le seul point noir de ces dernières semaines, c'était que j'avais peu écrit. Mon projet sur le mystère Nathan Fawles – que j'avais baptisé *La Vie secrète des écrivains* – n'avançait guère. Je manquais de matière et mon sujet m'échappait. J'avais envoyé plusieurs mails à Jasper Van Wyck, l'agent de Fawles, qui bien entendu ne m'avait pas répondu ; j'avais interrogé les gens de l'île, mais personne ne m'avait rien appris que je ne sache déjà.

— C'est quoi, cette histoire de dingue ? demanda Audibert en nous rejoignant, un verre de rosé à la main.

Le libraire avait l'air soucieux. Depuis dix minutes, une folle rumeur se répandait sur la place, vers laquelle convergeaient de plus en plus de gens. Elle évoquait la découverte d'un cadavre par deux randonneurs néerlandais à Tristana Beach, la seule et unique plage de la côte sud-ouest de l'île. L'endroit était magnifique, mais dangereux. Déjà, en 1990, deux adolescents s'étaient tués en jouant près des falaises. Un accident qui avait traumatisé les habitants de l'île.

Au-delà des petits groupes en pleine discussion, je repérai Ange Agostini, l'un des policiers municipaux, qui quittait la place. D'instinct, je le suivis dans les ruelles et le rattrapai au moment où il rejoignait son triporteur garé près du port.

— Vous allez à Tristana Beach, n'est-ce pas ? Je peux venir avec vous ?

Agostini se retourna, un peu surpris de me trouver dans ses pattes. C'était un grand type chauve. Un Corse sympa, gros lecteur de polars et fan des frères Cohen, à qui j'avais fait découvrir mes Simenon préférés : *Les Suicidés*, *L'homme qui regardait passer les trains*, *La Chambre bleue*…

— Monte si ça te chante, me répondit le Corse en haussant les épaules.

Entre trente et quarante kilomètres à l'heure, le triporteur Piaggio se traînait sur la Strada Principale. Agostini avait l'air inquiet. Les messages qu'il avait reçus sur son portable étaient alarmistes et incitaient à penser qu'il s'agissait d'un meurtre plutôt que d'un accident.

— C'est inimaginable, marmonna-t-il, il ne peut pas y avoir de meurtre à Beaumont.

Je voyais ce qu'il voulait dire. Il n'y avait pas de réelle criminalité à Beaumont. Quasi aucune agression et très peu de vols. Le sentiment de sécurité était tel que les gens laissaient leurs clés sur leur porte d'entrée ou les poussettes avec leur bébé à l'extérieur des magasins. La police locale ne comptait que quatre ou cinq personnes et le gros de leur travail consistait à dialoguer avec la population, à faire des rondes et à signaler les alarmes détraquées.

4.

La route suivait difficilement la côte au relief tourmenté. Il fallut vingt bonnes minutes au triporteur pour rallier Tristana Beach. Au détour d'un virage, on devinait parfois plus qu'on ne les voyait de grandes villas blanches cachées derrière les hectares de pinède.

Tout à coup, le paysage changea radicalement pour laisser place à une plaine désertique qui surplombait une grève de sable noir. À cet endroit, Beaumont ressemblait à l'Islande plus qu'à Porquerolles.

— C'est quoi, ce bordel?

Le pied sur le champignon – en pente et en ligne droite, le triporteur devait frôler les quarante-cinq kilomètres à l'heure –, Ange Agostini désignait la dizaine de voitures qui bloquait la route. En se rapprochant davantage, la situation devint plus claire. La zone était totalement bouclée par des flics venus du continent. Agostini gara son engin sur le bas-côté et arpenta les abords du périmètre gelé par des bandes de plastique. Je ne comprenais rien. Comment autant de mecs – visiblement des gars de la PJ de Toulon, mais il y avait aussi un véhicule de la police scientifique – avaient-ils pu se déployer aussi vite sur cette partie hostile de la côte ? D'où venaient leurs trois bagnoles sérigraphiées ? Pourquoi personne ne les avait-il vus débarquer sur le port ?

Je me mêlai aux badauds et prêtai l'oreille à toutes les conversations. Petit à petit, je parvins à reconstituer l'ébauche du scénario de la matinée. Vers 8 heures du matin, un couple d'étudiants néerlandais qui faisait du camping sauvage avait découvert un cadavre de femme. Ils avaient immédiatement contacté le commissariat de Toulon, qui avait obtenu l'autorisation d'utiliser l'aéroglisseur des douanes pour envoyer sur l'île une armada de policiers et trois voitures. Pour plus de discrétion, les flics avaient directement débarqué sur la dalle bétonnée de Saragota, à une dizaine de kilomètres d'ici.

Je retrouvai Agostini un peu plus loin, sur un petit monticule de terre en bordure de la route. Il paraissait à la fois bouleversé et un peu humilié de ne pas pouvoir accéder à la scène de crime.

— On sait qui est la victime ? demandai-je.

— Pas encore, mais on pense qu'il ne s'agit pas de quelqu'un de l'île.

— Pourquoi les flics sont-ils venus si vite et si nombreux ? Pourquoi n'ont-ils prévenu personne ?

Le Corse regarda d'un air absent son téléphone portable.

— C'est à cause de la nature du crime. Et des photos que les jeunes ont envoyées.

— Les Néerlandais ont pris des photos ?

Agostini hocha la tête.

— Elles ont circulé pendant quelques minutes sur Twitter avant d'être retirées. Mais il reste des copies d'écran.

— Je peux voir ?

— Franchement, je ne te le conseille pas, ce n'est pas un spectacle pour un libraire.

— N'importe quoi ! J'aurais aussi bien pu les voir passer sur mon fil Twitter moi aussi.

— Comme tu voudras.

Il me tendit son appareil et ce que j'y découvris me souleva le cœur. On y voyait le cadavre d'une femme. J'avais du mal à lui donner un âge tant son visage semblait déformé par ses blessures. J'essayai de déglutir, mais ma gorge était paralysée par cette vision d'horreur. Le corps, nu, était comme cloué au tronc d'un eucalyptus gigantesque. Je zoomai sur l'écran tactile. Ce n'étaient pas des clous qui plaquaient la femme sur le tronc, c'étaient des ciseaux à bois ou des outils de tailleur de pierre qui lui brisaient les os et s'enfonçaient dans ses chairs.

5.

Au volant de son pick-up décapotable, Mathilde Monney traversait le bois qui s'étendait jusqu'à la pointe du Safranier. À l'arrière du véhicule, Bronco regardait le paysage en jappant. Il faisait bon. L'odeur de la brise marine se mêlait à celle des eucalyptus et de la menthe poivrée. Les reflets mordorés du soleil automnal se frayaient un chemin à travers le feuillage des pins parasols et des chênes verts.

Arrivée devant le mur d'enceinte en moellons de schiste, Mathilde descendit de voiture et suivit les consignes que lui avait communiquées Jasper Van Wyck. Près du portail en aluminium, derrière une pierre plus sombre que les autres, était camouflé un interphone. Mathilde sonna pour s'annoncer. Il y eut un grésillement et le portail s'ouvrit.

Elle s'aventura à l'intérieur d'un grand parc sauvage. Une route de terre courait à travers les arbres. Des séquoias, des arbousiers et des bosquets de laurier densifiaient la végétation. Puis le chemin tournicota sur une pente raide et la mer apparut soudain en même temps que la maison de Fawles : une bâtisse aux formes géométriques, en pierre ocre, verre et béton.

À peine avait-elle garé le pick-up à côté de ce qui devait être le véhicule de l'écrivain – une Mini Moke couleur camouflage avec un volant et un tableau de bord en bois laqué – que le golden retriever sauta de la voiture pour se précipiter vers son maître qui l'attendait devant la porte.

Appuyé sur une béquille, l'écrivain était tout à sa joie de retrouver son compagnon. Mathilde s'avança. Elle s'était imaginé qu'elle allait être confrontée à une sorte d'homme des cavernes : un vieux sauvage bourru en haillons avec les cheveux longs et une barbe de vingt centimètres. Mais l'homme qui se tenait devant elle était rasé de frais. Il portait ses cheveux courts, un polo en lin bleu ciel assorti à ses yeux, un pantalon de toile et une paire de sneakers en cuir ciré.

— Mathilde Monney, se présenta-t-elle en lui tendant la main.

— Merci de m'avoir ramené Bronco.

Elle gratta la tête du chien.

— Vos retrouvailles font plaisir à voir, en tout cas.

Mathilde pointa du doigt la béquille et la cheville plâtrée.

— Ce n'est pas trop grave, j'espère.

Fawles secoua la tête.

— Demain, ça ne sera plus qu'un mauvais souvenir.

Elle hésita, puis :

— Vous ne vous rappelez plus, mais nous nous sommes déjà rencontrés.

Méfiant, il recula d'un pas.

— Je ne pense pas.

— Si, c'était il y a longtemps.

— À quelle occasion ?

— Je vous laisse deviner.

6.

Fawles savait que, plus tard, il se dirait que c'était à ce moment précis qu'il aurait dû tout arrêter. Dire simplement ce dont il avait convenu avec Van Wyck, « merci et au revoir », et battre en retraite à l'intérieur de la maison. Au lieu de ça, il se tut. Il resta stoïque devant la porte, presque hypnotisé par Mathilde Monney. Elle portait une robe courte en maille jacquard, un Perfecto en cuir et une paire de sandales à talons hauts et à fines lanières dont la boucle se fermait sur la bride à la cheville.

Il n'allait pas rejouer le début de *L'Éducation sentimentale* – « Ce fut comme une apparition » –, mais un long moment il se laissa griser par ce je-ne-sais-quoi de sensible, d'énergique et de solaire qui émanait de la jeune femme.

C'était une griserie contrôlée, une gentille ivresse qu'il s'accordait, un petit shoot de blondeur, de lumière chaude comme un champ de blé. Pas un instant il ne douta de maîtriser le cours des choses ni de pouvoir mettre fin en claquant des doigts et quand bon lui semblerait à cet ensorcellement.

— L'affichette promettait une récompense de 1 000 euros, mais je crois que je me contenterai d'un thé glacé, sourit Mathilde.

En évitant les yeux verts de son interlocutrice, Fawles expliqua mollement que, ne pouvant plus se déplacer, il n'avait pas fait les courses depuis longtemps et que ses placards étaient vides.

— Un verre d'eau fera l'affaire, insista-t-elle. Il fait chaud.

Généralement, il était assez doué pour juger les gens à l'instinct. Ses premières impressions étaient souvent les bonnes. Là, pourtant, il était un peu paumé, traversé par des sensations contradictoires. Une alarme s'était déclenchée dans sa tête pour le mettre en garde contre

Mathilde. Mais comment résister à la promesse insaisissable et énigmatique qu'elle portait en elle ? Un halo
diffus, doux comme le soleil d'octobre.

— Entrez, finit-il par concéder.

7.

Du bleu à perte d'horizon.

Mathilde fut surprise par la lumière qui régnait à
l'intérieur de la maison. L'entrée débouchait directement sur un salon qui se prolongeait par une salle à
manger et une cuisine. Les trois pièces étaient dotées
d'immenses baies vitrées ouvertes sur la mer et
donnaient l'impression de voguer sur les flots. Tandis
que Fawles passait dans la cuisine pour leur servir
deux verres d'eau, Mathilde s'abandonna à la magie
du lieu. Elle se sentait bien ici, bercée par le bruit
du ressac. Les ouvertures à galandage abolissaient
les espaces entre l'intérieur et la terrasse, créant une
douce désorientation, au point que vous ne saviez plus
très bien si vous étiez dedans ou dehors. Au centre
du salon, une cheminée au foyer suspendu attirait les
regards, tandis qu'un escalier ouvert en béton ciré
montait vers l'étage.

Mathilde s'était imaginé cet endroit comme une
tanière sombre, mais là encore, elle avait eu tout faux.

Fawles n'était pas venu s'enterrer sur l'île Beaumont, mais au contraire se retrouver en tête à tête avec le ciel, la mer et le vent.

— Je peux jeter un œil à la terrasse ? demanda-t-elle lorsque Fawles lui tendit son verre.

L'écrivain ne répondit pas, se contentant d'accompagner son invitée sur les dalles de schiste qui donnaient l'impression de s'avancer vers le vide. En approchant du bord, Mathilde fut prise de vertige. À cette hauteur, elle comprenait mieux l'architecture de la maison. Adossée à la falaise, celle-ci s'élevait en fait sur trois étages, la terrasse sur laquelle elle se trouvait étant située au niveau intermédiaire. Les dalles en béton étaient posées en porte-à-faux, chacune tenant lieu alternativement de base et de toiture. Mathilde se pencha pour suivre du regard l'escalier de pierre qui aboutissait sur la dalle de l'étage inférieur. Devant elle, un petit ponton permettait d'accéder directement à la mer et servait de point d'amarrage à un magnifique Riva Aquarama à la coque de bois vernissé dont les chromes étincelaient au soleil.

— On a vraiment l'impression d'être sur le pont d'un bateau.

— Ouais, tempéra Fawles, un bateau qui ne va nulle part et qui reste toujours à quai.

Pendant quelques minutes, ils s'employèrent à parler de tout et de rien. Puis Fawles la raccompagna à l'intérieur et Mathilde, qui se promenait comme dans un musée, s'approcha d'une étagère sur laquelle était posée une machine à écrire.

— Je croyais que vous n'écriviez plus, demanda-t-elle en désignant l'objet du menton.

Fawles caressa les courbes de la machine – un joli modèle vert amande en bakélite de la marque Olivetti.

— Elle n'est là que pour la déco. D'ailleurs, il n'y a même plus de rouleau encreur, dit-il en appuyant sur les touches. Et vous savez, les ordinateurs portables existaient déjà à mon époque.

— Ce n'est donc pas là-dessus que vous avez écrit vos...

— Non.

Elle le défia du regard.

— Je suis certaine que vous écrivez encore.

— Vous vous trompez. Je n'ai plus écrit la moindre phrase, même pas une annotation dans un livre, pas la plus petite liste de courses.

— Je ne vous crois pas. On n'arrête pas du jour au lendemain de faire une activité qui structurait toutes vos journées et qui...

Las, Fawles l'interrompit :

— Pendant un moment, j'ai pensé que vous étiez différente des autres et que vous n'aborderiez pas le sujet, mais je me suis trompé. Vous faites une enquête, c'est ça ? Vous êtes une journaliste qui vient ici pour pondre son petit papier sur « le mystère Nathan Fawles » ?

— Non, je vous promets que non.

L'écrivain lui montra la porte.

— Partez à présent. Je ne peux pas empêcher les gens de projeter des choses, mais le mystère Fawles, c'est justement qu'il n'y a pas de mystère, vous comprenez ? Et ça, vous pouvez l'écrire dans votre journal.

Mathilde ne bougea pas d'un pouce. Fawles n'avait pas tellement changé depuis qu'elle l'avait rencontré. Il était tel qu'elle se souvenait de lui : attentif, abordable, mais direct. Et elle se rendit compte qu'elle n'avait pas vraiment envisagé cette possibilité : que Fawles soit *toujours* Fawles.

— Entre nous, ça ne vous manque pas ?

— De passer dix heures par jour devant un écran ? Non. Je préfère les passer en forêt ou sur la plage à me balader avec mon chien.

— Je ne vous crois toujours pas.

Fawles secoua la tête en soupirant.

— Arrêtez de mettre du sentimentalisme dans tout ça. Ce n'étaient que des livres.

— *Que* des livres ? C'est vous qui dites ça ?

— Ouais, et entre nous, des livres largement surcotés en plus.

Mathilde poursuivit ses questions :

— Et maintenant, qu'est-ce que vous faites de vos journées ?

— Je médite, je bois, je cuisine, je bois, je nage, je bois, je fais de longues promenades, je...

— Vous lisez ?

— Quelques polars parfois et des livres sur l'histoire de la peinture ou sur l'astronomie. Je relis certains classiques, mais tout cela n'est pas important.

— Pourquoi pas ?

— La planète est devenue une fournaise, de grandes parties du monde sont à feu et à sang, les gens votent pour des fous furieux et s'abrutissent devant les réseaux sociaux. Ça craque de partout, alors...

— Je ne vois pas le rapport.

— Alors je crois qu'il y a des choses plus importantes que de savoir pourquoi, il y a vingt ans, Nathan Fawles a cessé d'écrire.

— Les lecteurs continuent à vous lire.

L'écrivain qui n'écrivait plus

— Que voulez-vous, je ne peux pas les en empêcher. Et puis, vous savez très bien que le succès
repose sur un malentendu. C'est Duras qui disait ça,
non ? Ou Malraux, peut-être. Au-delà de trente mille
exemplaires, c'est un malentendu…

— Vos lecteurs vous écrivent aussi ?

— Il paraît. Mon agent me dit qu'il reçoit beaucoup
de courrier adressé à mon nom.

— Vous le lisez ?

— Vous plaisantez ou quoi ?

— Pourquoi ?

— Parce que ça ne m'intéresse pas. En tant que
lecteur, il ne me viendrait jamais à l'idée d'écrire à un
auteur dont j'apprécie le livre. Franchement, vous vous
imaginez en train d'écrire à James Joyce parce que
vous aimez *Finnegans Wake* ?

— Non. D'abord parce que je n'ai jamais pu lire
plus de dix pages de ce livre, ensuite parce que James
Joyce a dû mourir quarante ans avant ma naissance.

Fawles secoua la tête.

— Écoutez, merci de m'avoir ramené mon chien,
mais vous feriez mieux de partir à présent.

— Oui, je crois aussi.

Il sortit avec elle et la raccompagna jusqu'à sa
voiture. Elle dit au revoir au chien, mais rien à Fawles.

Il la regarda manœuvrer, à la fois hypnotisé par une certaine grâce qu'elle mettait dans ses gestes et satisfait de se débarrasser d'elle. Au moment où elle allait accélérer, il profita néanmoins de ce qu'elle avait la vitre ouverte pour essayer d'éteindre la petite alarme qui continuait à résonner dans sa tête :

— Vous m'avez dit tout à l'heure qu'on s'était déjà rencontrés il y a longtemps. C'était où ?

Elle planta ses yeux verts dans les siens.

— Printemps 1998 à Paris. J'avais quatorze ans. Vous étiez venu faire une rencontre avec les patients de la Maison des adolescents. Vous m'aviez même dédicacé un exemplaire de *Loreleï Strange*. Une édition originale en anglais.

Fawles resta sans réaction, comme si cela n'évoquait rien pour lui, ou alors un souvenir extrêmement lointain.

— J'avais lu *Loreleï Strange*, continua Mathilde. Ça m'avait beaucoup aidée. Et je n'ai jamais eu l'impression que c'était un livre surcoté ni que ce que j'avais compris de sa lecture participait d'un quelconque malentendu.

DIVISION « ACTION DE L'ÉTAT EN MER »

ARRÊTÉ PRÉFECTORAL N° 287/2018
Portant création d'une zone temporaire d'interdiction à la navigation et aux activités nautiques vers et autour de l'île Beaumont (Var).

Le vice-amiral d'escadre Édouard Lefébure
préfet maritime de la Méditerranée

VU les articles 131-13-1° et R 610-5 du Code pénal,

VU le Code des transports, et notamment ses articles L5242-1 et L5242-2,

VU le décret n° 2007-1167 du 2 août 2007 modifié, relatif au permis de conduire et à la formation à la conduite des bateaux de plaisance à moteur,

VU le décret n° 2004-112 du 6 février 2004 relatif à l'organisation de l'action de l'État en mer.

CONSIDÉRANT l'ouverture d'une enquête criminelle à la suite de la découverte d'un corps sur l'île Beaumont, au lieu-dit Tristana Beach,

CONSIDÉRANT la nécessité d'accorder aux forces de sécurité le temps d'enquêter sur l'île,

CONSIDÉRANT la nécessité de préserver les éléments probatoires, permettant ainsi la recherche de la vérité.

ARRÊTÉ

Article 1: Il est créé, au large du département du Var, une zone d'interdiction pour la circulation et la pratique de toutes activités nautiques dans un rayon de 500 mètres autour et au droit des rives de l'île Beaumont, y compris les activités de transport de personnes au départ et à destination de l'île, à compter de la publication du présent arrêté.

Article 2: Les dispositions du présent arrêté ne sont pas opposables aux navires et engins nautiques opérant dans le cadre de missions de service public.

Article 3: Toute infraction au présent arrêté, ainsi qu'aux décisions prises pour son application, expose son auteur aux poursuites, peines et sanctions administratives prévues par les articles L5242-1 à L5242-6-1 du Code des transports et par l'article R610-5 du Code pénal.

Article 4: Le directeur départemental des territoires et de la mer du Var, les officiers et agents habilités en matière de police de la navigation sont chargés, chacun en ce qui le concerne, de l'exécution du présent arrêté qui sera publié au recueil des actes administratifs de la préfecture maritime de la Méditerranée.

Le préfet maritime de la Méditerranée,
Édouard Lefébure

4

Interviewer un écrivain

1) L'intervieweur vous pose des questions intéressantes pour lui, sans intérêt pour vous.
2) De vos réponses, il n'utilise que celles qui lui conviennent.
3) Il les traduit dans son vocabulaire, dans sa façon de penser.

Milan KUNDERA

Mardi 9 octobre 2018

1.

Depuis que je vivais à Beaumont, j'avais pour habitude de me lever avec le soleil. Après une douche rapide, j'allais retrouver Audibert, qui prenait son petit déjeuner sur la place du village à la terrasse du *Fort de Café* ou à celle des *Fleurs du Malt*. Le libraire avait un caractère changeant. Tantôt taciturne et renfermé, tantôt volubile et bavard. Je crois pourtant qu'il m'aimait plutôt bien. Suffisamment en tout cas pour m'inviter à sa table chaque matin et pour m'offrir un thé et des toasts à la confiture de figues. Vendues aux touristes au prix du caviar, les Confitures de la Mère Françoise, plus bio que bio, cuites au chaudron et tout le tralala, étaient l'un des trésors de l'île.

— Bonjour, monsieur Audibert.

Le libraire leva les yeux de son journal et m'accueillit avec un grognement inquiet. Depuis la veille, une agitation fiévreuse secouait les insulaires. La découverte de ce corps de femme cloué au plus vieil eucalyptus de l'île avait bouleversé la population. Je l'avais appris depuis : surnommé l'Immortel, l'arbre était devenu au fil des décennies le symbole de l'unité de l'île. Cette mise en scène ne pouvait être le fruit du hasard et les circonstances dans lesquelles la victime était morte laissaient tout le monde abasourdi. Mais ce qui avait achevé de perturber la population, c'était la décision du préfet maritime d'instaurer un blocus de l'île pour faciliter les investigations. La navette avait été consignée au port de Saint-Julien-les-Roses, et les gardes-côtes avaient pour ordre de patrouiller et d'intercepter les bateaux privés qui tenteraient d'effectuer la traversée dans un sens ou dans l'autre. Concrètement, personne ne pouvait quitter l'île et personne ne pouvait y entrer. Cette mesure imposée par le continent avait crispé tous les Beaumontais, qui n'acceptaient pas de perdre la maîtrise de leur destin collectif.

— Ce crime, c'est un coup terrible porté à l'île, enragea Audibert en refermant son exemplaire de *Var-Matin*.

C'était l'édition de la veille, celle du soir, arrivée avec le dernier ferry autorisé. En m'asseyant, je jetai un regard à la une, barrée du titre « L'Île Noire ». Un discret clin d'œil à Hergé.

— Attendons de voir sur quoi l'enquête va déboucher.

— Sur quoi voulez-vous qu'elle débouche ! s'exclama le libraire. Une femme a été torturée à mort avant d'être clouée à l'Immortel. Ça veut dire qu'il y a un dingue en liberté sur l'île !

Je grimaçai tout en sachant qu'Audibert n'avait pas forcément tort. Je dévorai ma tartine en parcourant l'article du journal sans y apprendre grand-chose, puis je sortis mon téléphone à la recherche d'informations plus fraîches.

J'avais repéré la veille le compte Twitter d'un certain Laurent Lafaury, un journaliste de la région parisienne qui se trouvait actuellement à Beaumont pour rendre visite à sa mère. Le type n'était pas un cador de la profession. Il avait fait quelques piges pour les sites internet de *L'Obs* et *Marianne* avant de devenir *community manager* d'un groupe de stations de radio. L'historique de son compte était un parfait exemple de ce que le pseudo-journalisme 2.0 pouvait produire de pire : sujets graveleux, titres putaclics, clashs, appels à l'hallali, blagues à trois balles, retweets systématiques de vidéos anxiogènes et de tout ce qui était susceptible de tirer l'intelligence vers le bas, de flatter les pires instincts, d'entretenir les peurs et les fantasmes. Le bon petit propagateur d'infox et de thèses flirtant avec le complotisme, mais toujours bien planqué derrière son écran.

Avec le blocus, Lafaury avait désormais le privilège d'être le seul « journaliste » présent sur l'île. Et depuis quelques heures, il avait mis à profit sa situation : il était intervenu en duplex au journal télévisé de France 2 et on avait vu sa photo sur toutes les chaînes infos.

— Quel petit trou du cul !

Lorsque le profil du journaliste s'afficha sur mon écran, Audibert se mit à l'agonir d'injures. Hier, au *20 Heures*, Lafaury avait réussi à insinuer à la fois que les habitants de l'île cachaient tous des secrets honteux derrière les « hauts murs de leurs villas luxueuses », et que la loi du silence ne serait jamais enfreinte ici parce que les Gallinari, véritables Corleone, régnaient par la peur et l'argent. En continuant comme ça, Laurent Lafaury n'allait pas tarder à devenir la bête noire de Beaumont. La médiatisation de l'île dans un contexte aussi glauque était durement ressentie par les résidents, tant la recherche de discrétion était depuis des années ancrée dans leurs gènes. Sur Twitter, le type aggravait encore son cas en publiant des tuyaux – apparemment fiables, ceux-là – que devaient lui refiler des flics ou des hommes de loi. J'étais contre ce principe qui, sous couvert d'information, polluait la confidentialité des investigations, mais j'étais aussi suffisamment curieux pour mettre momentanément mon indignation entre parenthèses.

Le dernier tweet de Lafaury remontait à moins d'une demi-heure. Il s'agissait d'un lien hypertexte renvoyant à son blog. Je cliquai pour accéder à l'article qui proposait une synthèse des derniers développements de l'enquête. D'après les infos du journaliste, la victime était toujours en attente d'identification. Bobard ou pas, le papier se terminait par un scoop détonnant : au moment où la malheureuse avait été clouée au tronc du gigantesque eucalyptus, son corps était congelé ! De fait, il n'était donc pas impossible que sa mort remonte à plusieurs semaines.

Je dus lire la phrase une seconde fois pour être certain de bien en comprendre le sens. Audibert, qui s'était levé pour parcourir l'article par-dessus mon épaule, se laissa tomber sur sa chaise, accablé.

Alors que Beaumont s'éveillait, l'île venait de basculer dans une autre réalité.

2.

Nathan Fawles s'était réveillé d'humeur joyeuse, ce qui ne lui était plus arrivé depuis longtemps. Il avait dormi tard puis avait pris son temps pour petit-déjeuner. Il était resté ensuite une bonne heure sur sa terrasse à fumer des cigarettes en écoutant de vieux vinyles de Glenn Gould. Au cinquième morceau, il se demanda presque à voix haute d'où lui venait cette allégresse. Il résista un moment avant d'admettre que la seule chose qui pouvait expliquer son état d'esprit était le souvenir de Mathilde Monney. Il flottait dans l'air un peu de sa présence. Un rayonnement, une poésie lumineuse, une touche de parfum. Quelque chose de fugitif et d'insaisissable qui allait s'évaporer bientôt, il le savait, mais qu'il voulait savourer jusqu'à la dernière goutte.

Vers 11 heures, son humeur commença à changer. À la légèreté du réveil succéda la prise de conscience qu'il ne reverrait sans doute jamais Mathilde. La prise de conscience que, quoi qu'il en dise, sa solitude pouvait parfois lui peser. Puis, vers midi, il décida de cesser ces enfantillages, ces emballements adolescents, et de se féliciter au contraire de l'éloignement de cette fille. Il ne devait pas se fissurer. Il n'en avait pas le droit. Il s'autorisa néanmoins à se repasser mentalement le film de leur rencontre. Un point l'avait intrigué. Un détail qui n'en était pas un et qu'il devait vérifier.

Il appela Jasper Van Wyck à Manhattan. Après plusieurs sonneries, l'agent littéraire lui répondit d'une voix éteinte. Il n'était que 6 heures du matin à New York et Jasper était toujours au fond de son lit. Fawles lui demanda d'abord de faire des recherches sur les articles que Mathilde Monney avait écrits ces dernières années dans *Le Temps*.

— Tu cherches quoi au juste ?

— Je ne sais pas. Tout ce que tu dégotteras qui de près ou de loin pourrait avoir un rapport avec moi ou avec mes livres.

— D'accord, mais ça prendra un peu de temps. Autre chose ?

— J'aimerais que tu retrouves la trace de la directrice de la médiathèque de la Maison des adolescents en 1998.

— C'est quoi ?

— Une structure médicale pour ados qui dépend de l'hôpital Cochin.

— Tu sais comment elle s'appelle, ta bibliothécaire ?

— Non, je ne m'en souviens plus. Tu peux t'y mettre maintenant ?

— D'accord. Je te rappelle dès que j'ai trouvé quelque chose.

Fawles raccrocha et rejoignit la cuisine pour se préparer un café. Alors qu'il dégustait son expresso, il essaya de convoquer ses souvenirs. Située près de Port-Royal, la Maison des adolescents prenait en charge des patients souffrant notamment de troubles alimentaires, de dépression, de phobie scolaire, d'anxiété. Certains y étaient hospitalisés à temps complet, d'autres en hôpital de jour. Fawles y était allé deux ou trois fois pour des interventions à destination des patients – dont la plupart étaient des patientes. Une conférence, un jeu de questions-réponses ainsi que l'animation d'un petit atelier d'écriture. Il ne se souvenait plus des prénoms ni des visages, mais d'une impression d'ensemble très positive. Des lectrices attentives, une discussion enrichissante et des questions qui souvent touchaient juste. Il terminait sa tasse lorsque le téléphone sonna. Jasper n'avait pas traîné.

— Grâce à LinkedIn, j'ai retrouvé facilement la directrice de la médiathèque. Elle s'appelle Sabina Benoit.

— C'est ça, je m'en souviens à présent.

— Elle est restée à la Maison des adolescents jusqu'en 2012. Depuis, elle travaille en province dans le réseau Bibliothèque pour tous. D'après les dernières infos disponibles en ligne, elle se trouve actuellement en Dordogne, dans la ville de Trélissac. Tu veux un numéro ?

Fawles nota les coordonnées et appela Sabina Benoit dans la foulée. La bibliothécaire fut aussi surprise que ravie d'entendre sa voix au téléphone. Fawles se souvenait de son allure plus que de son visage. Une grande brune dynamique aux cheveux courts et à la cordialité contagieuse. Il l'avait rencontrée au Salon du livre de Paris et il s'était laissé convaincre par sa proposition de venir parler d'écriture à ses patientes.

— Je suis en train d'écrire mes mémoires, commença-t-il. Et j'aurais besoin d'un...

— Vos mémoires ? Vous pensez vraiment que je vais vous croire, Nathan ? le coupa-t-elle en riant.

Après tout, mieux valait la franchise.

— Je cherche des informations sur une patiente de la Maison des adolescents. Une jeune fille qui aurait assisté à l'une de mes conférences. Une certaine Mathilde Monney.

— Ça ne me dit rien, répondit Sabina après un instant de réflexion. Mais en vieillissant, j'ai de moins en moins de mémoire.

— On en est tous un peu là. Je cherche à savoir pour quelle raison Mathilde Monney était hospitalisée.

— Je n'ai plus accès à ce type d'informations, et même si...

— Allez, Sabina, vous avez forcément gardé des contacts. Faites ça pour moi, rendez-moi ce service, s'il vous plaît. C'est important.

— Je vais essayer, mais je ne vous promets rien.

Fawles raccrocha et s'en alla fureter dans sa bibliothèque. Il lui fallut un bon moment avant de mettre la main sur un exemplaire de *Loreleï Strange*. C'était une édition originale. La première à avoir été proposée en librairie à l'automne 1993. Avec la paume de sa main, il essuya la poussière sur la couverture. Elle représentait son tableau préféré, *L'Acrobate à la boule*, un Picasso sublime de la période rose. C'est Fawles lui-même qui, à l'époque, avait traficoté cette couverture en faisant un collage qu'il avait soumis à l'éditeur. Ce dernier croyait si peu en ce livre qu'il l'avait laissé faire. Le premier tirage de *Loreleï* n'avait

94

pas dépassé les cinq mille exemplaires. Le livre n'avait pas eu de presse et on ne pouvait pas dire que les libraires l'avaient particulièrement défendu, même s'ils avaient fini par suivre le mouvement. Ce livre n'avait dû son salut qu'au bouche à oreille enthousiaste des lecteurs. Le plus souvent, des gamines comme la Mathilde Monney de l'époque qui s'étaient reconnues dans le personnage principal. Il faut dire que l'histoire du livre s'y prêtait bien. Elle narrait, le temps d'un week-end, les rencontres que faisait Loreleï, une jeune pensionnaire d'un hôpital psychiatrique. Cette mise en scène était prétexte à décrire une galerie de personnages peuplant l'hôpital. Peu à peu, le roman s'était hissé dans les classements des meilleures ventes, accédant au statut envié de phénomène littéraire. Ceux qui l'avaient snobé au début s'empressaient de prendre le train en marche. Le roman était lu par les jeunes, les vieux, les intellos, les profs, les élèves, les gens qui lisaient beaucoup, ceux qui ne lisaient pas. Tout le monde s'était mis à avoir une opinion sur *Loreleï Strange* et on faisait dire au livre des choses qu'il ne disait pas. C'était ça, le grand malentendu. Au fil des années, le mouvement s'était amplifié et *Loreleï* était devenu une sorte de classique de la littérature grand public. On avait écrit des thèses dessus, on le trouvait aussi bien dans les librairies et les aéroports que dans les *books corners* des supermarchés. Parfois même au rayon développement personnel, ce qui exaspérait son auteur. Et ce qui devait arriver arriva : avant même qu'il arrête d'écrire, Fawles s'était mis à détester son roman et à ne plus supporter qu'on lui en parle, tant il avait l'impression d'être prisonnier de son propre livre.

Le carillon du portail sortit l'écrivain de ses souvenirs. Il remit le livre en place et regarda l'écran du système de vidéosurveillance. C'était le docteur Sicard qui venait enfin lui retirer son plâtre. Il avait failli oublier ! La délivrance était là.

3.

Le meurtre de Tristana Beach.

Les clients de la librairie, les touristes, les habitants qui passaient sur la place : tout le monde ne parlait que de ça. Depuis le début de l'après-midi, j'avais vu beaucoup de badauds à *La Rose Écarlate*. Peu de vrais clients, mais des gens qui entraient dans la librairie faire un brin de causette, certains pour conjurer leur effroi, d'autres pour alimenter leur curiosité morbide.

J'avais ouvert mon MacBook sur le comptoir d'accueil. La connexion internet du magasin était plutôt rapide, mais elle sautait fréquemment, ce qui m'obligeait chaque fois à remonter au premier étage pour relancer la box. Mon navigateur était ouvert sur le compte Twitter de Laurent Lafaury, qui venait tout juste d'actualiser son blog.

D'après ses informations, la police avait réussi à identifier la victime. Il s'agissait d'une femme de trente-huit ans. Une certaine Apolline Chapuis, négociante en vins, domiciliée dans le quartier des Chartrons à Bordeaux. Les premiers témoignages signalaient sa présence à l'embarcadère de Saint-Julien-les-Roses le 20 août dernier. Certains passagers l'avaient croisée sur le ferry ce jour-là, mais les enquê-teurs cherchaient encore ce qu'elle était venue faire sur l'île. L'une de leurs hypothèses était que quelqu'un avait attiré Apolline Chapuis à Beaumont, puis qu'on l'avait séquestrée avant de la tuer et de conserver son corps dans une chambre froide ou un congéla-teur. L'article du journaliste se terminait par une folle rumeur : celle d'une grande vague de perquisitions de toutes les maisons de l'île pour retrouver l'endroit où la victime avait été détenue.

Je consultai le calendrier des postes – illustré du portrait iconique d'Arthur Rimbaud par Carjat – qu'Audibert avait placardé derrière l'écran de son PC.

Si les sources du journaliste étaient fiables, Apolline Chapuis avait débarqué sur l'île trois semaines avant moi. Cette fin août où une pluie diluvienne s'était abattue sur la Méditerranée.

Machinalement, je tapai son nom dans le moteur de recherche.

En quelques clics, je me retrouvai sur le site de la société d'Apolline Chapuis. La jeune femme n'était pas exactement « négociante en vins », comme l'écrivait Lafaury. Elle travaillait bien dans le secteur viticole, mais son domaine était davantage le commercial et le marketing. Très active à l'international, sa petite structure s'occupait de la vente de vins prestigieux auprès d'hôtels et de restaurants, ainsi que de constituer des caves clés en main pour de riches particuliers. L'onglet *Qui sommes-nous ?* du site livrait le CV de sa fondatrice et égrenait les grandes étapes de son parcours. Naissance à Paris dans une famille qui possédait des parts dans plusieurs vignobles bordelais, master « Droit de la vigne et du vin » à l'université Bordeaux-IV, puis un diplôme national d'œnologue (DNO) délivré par l'Institut national d'études supérieures agronomiques de Montpellier. Apolline avait ensuite travaillé à Londres et à Hong Kong avant de créer sa petite entreprise de conseil. Sa photo, en noir et blanc, laissait deviner un physique avenant – pour qui appréciait les grandes blondes au visage un peu mélancolique.

Qu'était-elle venue faire sur l'île ? S'était-elle rendue ici pour son métier ? C'était très possible. La vigne était implantée de longue date à Beaumont. Comme à Porquerolles, les plantations avaient à l'origine pour but de jouer le rôle de pare-feu en cas d'incendie. Aujourd'hui, plusieurs domaines viticoles sur l'île donnaient des côtes-de-provence tout à fait honnêtes. La plus grande exploitation – celle qui faisait la fierté et la renommée de Beaumont – était celle des Gallinari. Au début des années 2000, la branche corse de la famille avait planté des cépages rares sur un terroir d'argile et de calcaire. Si au départ tout le monde les prenait pour des fous, leur vin blanc – le fameux Terra dei Pini dont ils produisaient vingt mille bouteilles par an – était désormais réputé et figurait à la carte des plus grands restaurants du monde. Depuis que j'étais arrivé, j'avais eu plusieurs fois l'occasion de goûter le nectar. C'était un blanc sec, fin et fruité, qui déclinait des notes de fleurs et de bergamote. Tout le processus de fabrication obéissait aux lois de la biodynamie et profitait du climat clément de l'île.

Je replongeai la tête vers mon écran pour relire l'article de Lafaury. Pour la première fois de ma vie, j'avais l'impression d'être un enquêteur à l'intérieur d'un vrai polar. Et, comme chaque fois que je vivais quelque chose d'intéressant, j'avais envie de le cristalliser dans l'écriture d'un roman. Déjà, dans ma tête, des images inquiétantes et mystérieuses commençaient à prendre vie : une île méditerranéenne paralysée par un blocus, le cadavre congelé d'une jeune femme, un écrivain célèbre cloîtré depuis vingt ans dans sa maison…

Sur mon ordinateur, j'ouvris un nouveau document et me mis à taper les premières lignes de mon texte :

Chapitre 1.

Mardi 11 septembre 2018
Le vent faisait claquer les voiles dans un ciel éclatant.
Le dériveur avait quitté les côtes varoises un peu après 13 heures et filait à présent à la vitesse de cinq nœuds en direction de l'île Beaumont. Près du poste de barre, assis à côté du skipper, je m'enivrais des promesses de l'air du large, m'abîmant tout entier dans la contemplation de la limaille dorée qui scintillait sur la Méditerranée.

100

4.

Le soleil déclinait derrière la ligne d'horizon, striant le ciel d'éclaboussures orangées. De retour d'une promenade avec son chien, Fawles traînait la patte. Il avait voulu faire le malin en s'émancipant des conseils du médecin. Dès que Sicard l'avait libéré de son plâtre, il s'était empressé de sortir avec Bronco, sans prendre de canne ni la moindre précaution. Et à présent, il en payait amèrement le prix : il avait le souffle court, sa cheville lui semblait de bois et tous ses muscles étaient endoloris.

À peine arrivé dans son salon, Fawles se laissa tomber dans le canapé qui faisait face à la mer et avala un anti-inflammatoire. Il ferma les yeux quelques instants, cherchant à reprendre son souffle tandis que le golden retriever lui léchait les mains. Il s'était presque assoupi lorsque le carillon du portail le fit se redresser.

L'écrivain se leva en s'appuyant sur le rebord du canapé et boita jusqu'au système de vidéosurveillance. Le visage lumineux de Mathilde Monney apparut sur l'écran.

Nathan se figea. Qu'est-ce que cette femme faisait ici ? Dans son esprit, cette nouvelle visite sonnait à la fois comme un espoir et comme une menace. En revenant le voir, Mathilde Monney avait quelque chose derrière la tête. *Que faire? Ne pas répondre?* C'était une solution pour éloigner le danger à court terme, mais ça ne permettait pas d'identifier la *nature* du danger.

Fawles débloqua le portail sans même parler à l'interphone. Son cœur s'était calmé et, la surprise passée, il était résolu à désamorcer la situation. Il était de taille à affronter Mathilde. Il fallait qu'il la dissuade de fourrer son nez dans ses affaires, et c'est ce qu'il allait faire. Mais en douceur.

Comme la veille, il sortit l'attendre sur le pas de la porte. Appuyé au chambranle, Bronco à ses pieds, il regarda le pick-up s'approcher en soulevant des nuages de poussière. La jeune femme arrêta le véhicule devant le perron et tira le frein à main. Elle claqua la portière et resta un instant face à lui. Elle était vêtue d'une robe à manches courtes à imprimé fleuri qu'elle portait sur un col roulé en maille côtelée. Les derniers rayons de soleil patinaient le cuir de ses bottes à talons en cuir moutarde.

Au regard qu'elle lui lança, Fawles eut deux certitudes. La première: Mathilde Monney ne se trouvait pas sur l'île *par hasard*. Elle n'était à Beaumont que pour découvrir son secret. La seconde: Mathilde n'avait pas la moindre idée de ce que pouvait être ce secret.

— Je vois que vous n'avez plus de plâtre ! Vous pourriez venir m'aider ? l'interpella-t-elle en commençant à décharger des sacs en papier kraft entassés à l'arrière de la voiture.

— C'est quoi ?

— Je suis allée vous faire des courses. Vos placards sont vides, vous me l'avez dit hier.

Fawles ne bougea pas.

— Je n'ai pas besoin d'une aide à domicile. Je peux très bien faire mes courses moi-même.

De là où il était, il sentait le parfum de Mathilde. Des effluves cristallins de menthe, d'agrume et de linge propre, qui se mêlaient à ceux de la forêt.

— Oh ! Ne croyez pas que c'est un service gratuit. Je veux seulement éclaircir cette histoire. Bon, vous m'aidez ou pas ?

— Quelle histoire ? demanda Fawles en empoignant mollement les sacs restants.

— Cette histoire de blanquette de veau.

Fawles crut qu'il avait mal entendu, mais Mathilde précisa :

— Dans votre dernière interview, vous vous vantez de savoir cuisiner divinement bien la blanquette. Ça tombe bien, j'adore ça !

— Je vous imaginais plutôt végétarienne.

— Pas le moins du monde. Je vous ai acheté tous les ingrédients. Vous n'avez plus aucune excuse pour ne pas m'inviter à dîner.

Fawles comprit qu'elle ne plaisantait pas. Il n'avait pas prévu cette situation, mais il se persuada qu'il contrôlait le jeu et fit signe à Mathilde d'entrer.

Comme si elle était chez elle, la jeune femme posa les sacs sur la table du salon, accrocha son Perfecto au portemanteau et décapsula une bouteille de Corona qu'elle partit siroter tranquillement sur la terrasse en admirant le coucher du soleil.

Resté seul dans la cuisine, Fawles rangea la nourriture et se mit aux fourneaux d'un air faussement nonchalant.

Cette histoire de blanquette, c'était de la connerie. Une boutade qu'il avait dégainée pour répondre à la question du journaliste. Lorsqu'on l'interrogeait sur sa vie privée, il appliquait le précepte d'Italo Calvino: ne pas répondre ou mentir. Mais il ne se déroba pas. Il tria les ingrédients dont il avait besoin et rangea les autres, s'appuyant le moins possible sur sa jambe douloureuse. Dans un placard, il trouva un faitout avec un fond émaillé qu'il n'avait plus utilisé depuis des lustres et mit de l'huile d'olive à chauffer. Puis il sortit une planche et commença à découper les morceaux de noix de veau et de jarret, hacha de l'ail et du persil qu'il mélangea à la viande en train de dorer. Il ajouta une cuillère de farine et un grand verre de vin blanc avant de recouvrir le tout dc bouillon chaud. À présent, dans ses souvenirs, il fallait laisser mijoter ça pendant une bonne heure.

Il jeta un coup d'œil dans les autres pièces. Le jour était tombé et Mathilde était rentrée se réchauffer. Elle avait mis sur la platine un vieux vinyle des Yardbirds et furetait dans la bibliothèque. Dans la cave à vin qui prolongeait le réfrigérateur, Fawles choisit un saint-julien qu'il carafa en prenant son temps avant de rejoindre Mathilde dans le salon.

— Il ne fait pas chaud chez vous, lui fit-elle remarquer. Je ne serais pas contre une petite flambée.

— Si vous voulez.

Fawles se dirigea vers les racks métalliques qui servaient de porte-bûches. Il rassembla du petit bois et des rondins et alluma un feu dans la cheminée au foyer suspendu au centre de la pièce.

Continuant à déambuler, Mathilde entrouvrit le coffre fixé au mur à côté du stock de bois de chauffage, découvrant le fusil à pompe qu'il abritait.

— Donc, ce n'est pas une légende : vous tirez vraiment sur les gens qui viennent vous embêter ?

— Ouais, et estimez-vous heureuse d'y avoir échappé.

Elle observa l'arme attentivement. La crosse et le fût étaient en noyer ciré, le canon en acier poli. Entre les reflets bleutés du corps du fusil, au milieu des arabesques, une sorte de tête de Lucifer la regardait d'un air menaçant.

— C'est le diable ? demanda-t-elle.

— Non, c'est le Kuçedra : un dragon femelle à cornes du folklore albanais.

— Charmant.

Il lui effleura l'épaule pour l'éloigner des racks et l'entraîner près de la cheminée où il lui servit un verre de vin. Ils trinquèrent et goûtèrent le saint-julien en silence.

— Un Gruaud Larose 1982, vous ne vous foutez pas de moi, apprécia-t-elle.

Elle s'assit dans le fauteuil en cuir près du canapé, alluma une cigarette et joua avec Bronco. Fawles retourna dans la cuisine, inspecta sa blanquette et y incorpora des olives dénoyautées et des champignons. Il fit cuire du riz, dressa deux assiettes et des couverts dans la salle à manger. À la fin de la cuisson, il ajouta à la viande le jus d'un citron mélangé à un jaune d'œuf.

— À table ! lança-t-il en apportant son plat.

Avant de le rejoindre, elle lança un nouveau disque sur la platine : la musique du film *Le Vieux Fusil.* Fawles la regarda claquer dans ses doigts au rythme de la mélodie de François de Roubaix tandis que Bronco lui tournait autour. La scène était belle. Mathilde était belle. Cela aurait été facile de s'abandonner à l'instant, mais il savait que tout cela n'était qu'un jeu de manipulation entre deux êtres qui pensaient se manœuvrer l'un l'autre. Fawles se doutait que ce jeu n'était pas sans conséquence. Il avait pris le risque de faire entrer le loup dans la bergerie. Jamais personne n'avait été aussi proche de ce secret qu'il cachait depuis vingt ans.

La blanquette était réussie. En tout cas, ils la mangèrent de bon appétit. Fawles avait perdu l'habitude de beaucoup parler, mais le dîner fut joyeux grâce à l'humour et à l'entrain de Mathilde qui avait des théories sur tout. Puis, à un moment, quelque chose changea dans son regard. L'éclat était toujours là, mais il était plus grave, moins rieur.

— Comme c'est votre anniversaire, je vous ai apporté un cadeau.

— Je suis né au mois de juin, ce n'est pas vraiment mon anniversaire.

— Je suis un peu en avance, ou en retard, ce n'est pas très grave. En tant que romancier, ça va vous plaire.

— Je ne suis plus romancier.

— Romancier, c'est comme président de la République, il me semble. C'est un titre qu'on garde, même quand on n'est plus en fonction.

— Ça se discute, mais pourquoi pas.

Elle l'attaqua sur un autre front.

— Les romanciers sont les plus grands menteurs de l'histoire, non ?

— Non, ce sont les hommes politiques. Et les historiens. Et les journalistes. Mais pas les romanciers.

— Mais si ! En prétendant raconter la vie dans vos romans, vous mentez. La vie est trop complexe pour être mise en équation ou pour se laisser enfermer dans les pages d'un livre. Elle est plus forte que les maths ou que la fiction. Le roman, c'est de la fiction. Et la fiction, c'est techniquement du mensonge.

— C'est tout le contraire. Philip Roth avait trouvé la formule juste : « Le roman fournit à celui qui l'invente un mensonge par lequel il exprime son indicible vérité. »

— Oui, mais…

Soudain, Fawles en eut assez.

— On ne va pas trancher le problème ce soir. C'est quoi, mon cadeau ?

— Je croyais que vous n'en vouliez pas.

— Vous êtes une sacrée chieuse, vous !

— Mon cadeau, c'est une histoire.

— Quelle histoire ?

Son verre de vin à la main, Mathilde s'était levée de table pour retourner s'installer dans le fauteuil.

— Je vais vous *raconter* une histoire. Et lorsque j'aurai terminé mon récit, vous ne pourrez pas faire autrement que de vous asseoir derrière votre machine et de vous remettre à écrire.

Fawles secoua la tête.

— Même pas en rêve.

— On parie ?

— On ne parie rien du tout.

— Vous avez peur ?

— Pas de vous en tout cas. Il n'existe aucune raison qui me ferait me remettre à écrire et je ne vois pas en quoi votre histoire changerait la donne.

— Parce qu'elle vous concerne. Et parce que c'est une histoire qui doit connaître son épilogue.

— Je ne suis pas certain de vouloir l'entendre.

— Je vais vous la raconter quand même.

Sans bouger de son fauteuil, elle tendit son verre vide en direction de Fawles. Il prit la bouteille de saint-julien, se leva pour remplir le verre de Mathilde et se laissa choir dans le canapé. Il avait compris que les choses sérieuses s'amorçaient et que tout le reste n'avait été que du babillage. Un prélude à leur véritable face-à-face.

— L'histoire commence en Océanie au tout début des années 2000, se lança Mathilde. Un jeune couple de la région parisienne, Apolline Chapuis et Karim Amrani, débarque à Hawaï après quinze heures d'avion pour y passer des vacances.

5

La porteuse d'histoire

*Il n'est pire angoisse que de porter
en soi une histoire que l'on n'a pas
encore racontée.*

Zora Neale Hurston

2000

L'histoire commence en Océanie au tout début des années 2000.

Un jeune couple de la région parisienne, Apolline Chapuis et Karim Amrani, débarqua à Hawaï après quinze heures d'avion pour une semaine de vacances. À peine arrivés, ils vidèrent le minibar de la chambre d'hôtel et sombrèrent dans un sommeil profond. Le lendemain et le jour suivant, ils profitèrent pleinement des charmes de l'île volcanique de Maui. Ils firent des randonnées dans une nature préservée, admirèrent les petites cascades et les étendues fleuries en fumant des pétards. Ils s'envoyèrent en l'air sur les plages de sable fin et louèrent un bateau privé pour observer les baleines au large de Lahaina. Le troisième jour, alors qu'ils s'offraient une initiation à la plongée sous-marine, leur appareil photo tomba dans l'océan.

Les deux plongeurs aguerris qui les accompagnaient tentèrent sans succès de retrouver l'appareil. Apolline et Karim durent se faire une raison : ils avaient perdu leurs photos de vacances. Ce qu'ils oublièrent le soir même, autour d'une bonne dizaine de cocktails dans un des nombreux bars de plage.

2015

Mais la vie réserve son lot de surprises.

Bien des années plus tard, à neuf mille kilomètres de là, Eleanor Farago, une femme d'affaires américaine, aperçut un objet coincé dans un récif alors qu'elle faisait son jogging sur la plage de Baishawan, dans la région de Kenting, au sud de Taïwan.

On était alors au printemps 2015. Il était 7 heures du matin. Mme Farago, qui travaillait pour une chaîne hôtelière internationale, effectuait une tournée en Asie afin de visiter certains établissements de son groupe. Le dernier matin de son séjour, avant de reprendre son avion pour New York, elle était allée courir à «Baisha», une sorte de Côte d'Azur locale. Entourée de collines, la plage offrait un sable fin et doré, une eau translucide, mais également quelques brisants qui plongeaient dans la mer. C'est là qu'Eleanor repéra cet objet mystérieux. Elle courut jusqu'à lui, escalada deux rochers, se baissa pour le dégager et le ramasser. C'était une housse étanche contenant un appareil photo PowerShot de la marque Canon.

Elle ne le savait pas encore – et à vrai dire, elle ne le sut jamais –, mais l'appareil des jeunes Français avait dérivé pendant quinze ans, au gré des obstacles et des courants, sur une distance de près de dix mille kilomètres. Curieuse, l'Américaine s'empara de l'objet et, de retour à l'hôtel, le mit dans une trousse en tissu dans son bagage à main. Quelques heures plus tard, elle prit son avion à l'aéroport de Taipei. Parti à 12 h 35, son vol Delta Air Lines fit escale à San Francisco puis se posa à New York, à l'aéroport de JFK, à 23 h 08 avec un retard de plus de trois heures. Excédée et pressée de rentrer chez elle, Eleanor Farago oublia plusieurs de ses affaires dans le compartiment en face de son siège, parmi lesquelles l'appareil photo.

★

L'équipe chargée du nettoyage de l'avion récupéra la trousse et la déposa aux objets trouvés de l'aéroport

JFK. Trois semaines plus tard, un employé de ce service y découvrit le billet d'avion de Mme Farago. Par recoupement de données, il lui laissa un message sur son répondeur ainsi qu'un courrier électronique auxquels Eleanor Farago ne répondit jamais.

Selon la procédure standard, le service des objets trouvés garda l'appareil quatre-vingt-dix jours. Au bout de cette période, il fut revendu avec des milliers d'autres objets à une entreprise d'Alabama qui, depuis des décennies, s'occupait de racheter les bagages non réclamés aux compagnies américaines.

★

Au début de l'automne 2015, l'appareil photo fut donc entreposé dans les rayons de l'Unclaimed Baggage Center : le centre des bagages non réclamés. Cet endroit ne ressemblait à aucun autre. Tout avait commencé dans les années 1970, à Scottsboro, une petite ville du comté de Jackson, à deux cents kilomètres au nord d'Atlanta. Une modeste entreprise familiale avait eu l'idée de passer des contrats avec les compagnies aériennes pour revendre les bagages égarés et dont les propriétaires ne se manifestaient pas. L'affaire avait si bien prospéré qu'au fil des années, le commerce était devenu une véritable institution.

En 2015, les entrepôts de l'Unclaimed Baggage Center s'étendaient sur près de quatre mille mètres carrés. Plus de sept mille objets nouveaux étaient acheminés chaque jour par semi-remorques depuis les différents aéroports des États-Unis jusqu'à cette bourgade perdue au milieu de nulle part. Les curieux affluaient des quatre coins du pays et même au-delà : un million de visiteurs se rendaient désormais chaque année dans cet endroit qui tenait aussi bien du supermarché *discount* que du musée des curiosités. Sur quatre étages s'entassaient des vêtements, des ordinateurs, des tablettes, des casques audio, des instruments de musique, des montres. Un petit musée avait même été créé au sein du magasin pour y exposer les pièces les plus insolites glanées au fil des années : un violon italien datant du XVIIIe siècle, un masque funéraire égyptien, un diamant de 5,8 carats ou encore une urne contenant les cendres d'une personne décédée...

C'est donc sur les rayonnages de ce drôle de magasin qu'atterrit notre Canon PowerShot. Protégé par sa trousse en tissu, il resta là, entassé avec d'autres appareils photo, de septembre 2015 à décembre 2017.

2017

Pendant les vacances de Noël de cette année-là, Scottie Malone, quarante-quatre ans, et sa fille Billie, onze ans, deux habitants de Scottsboro, déambulaient dans les allées de l'Unclaimed Baggage Center. Les prix pratiqués par le magasin étaient parfois inférieurs de quatre-vingts pour cent à ceux d'articles neufs, et Scottie ne roulait pas sur l'or. Il tenait un garage sur la route conduisant au lac Guntersville, dans lequel il réparait aussi bien les voitures que les bateaux.

Depuis le départ de sa femme, il essayait d'élever sa fille du mieux qu'il le pouvait. Julia avait mis les voiles un jour d'hiver, trois ans auparavant. Lorsqu'il était rentré le soir, il avait trouvé un mot sur la table de la cuisine qui lui annonçait froidement la nouvelle. Ça lui avait fait mal, bien sûr – et la douleur durait encore aujourd'hui –, mais il n'avait pas été surpris. À vrai dire, il avait toujours su que sa femme partirait un jour. Il est écrit quelque part, dans l'une des pages du livre du destin, que les roses trop belles vivent avec la hantise de se faner. Et cette crainte leur fait parfois commettre des actes irréparables.

— Je voudrais une boîte de peinture pour Noël, s'il te plaît, papa, demanda Billie.

Scottie hocha la tête pour dire qu'il était d'accord. Ils montèrent au dernier étage où se trouvaient le rayon des livres ainsi que tout ce qui avait un rapport avec la papeterie. Ils farfouillèrent un bon quart d'heure et dénichèrent un joli coffret de tubes de gouache, des pastels à l'huile et deux petites toiles vierges. La joie de sa fille réchauffa le cœur de Scottie. Il s'autorisa une dépense pour lui-même : un exemplaire du *Poète* de Michael Connelly soldé à 0,99 dollar. C'est Julia qui lui avait révélé le pouvoir magique de la lecture. C'est elle qui, pendant longtemps, lui avait conseillé les titres susceptibles de lui plaire : polars, romans historiques et d'aventure. Il n'était pas toujours évident de rentrer dans l'histoire, mais lorsqu'on avait trouvé le bon livre, celui qui était fait pour nous, celui dont on savourait les détails, les dialogues, les pensées des personnages, c'était la grande évasion. Oui, c'était mieux que tout, vraiment. Mieux que Netflix, que les matchs de basket des Hawks, et que toutes ces vidéos débiles qui circulaient sur les réseaux et vous transformaient en zombies.

Alors qu'ils faisaient la queue aux caisses, Scottie repéra une panière dans laquelle étaient rassemblés des articles bradés. Il fourragea dans la grande corbeille grillagée et, parmi quantité d'objets hétéroclites, pêcha une trousse en tissu renflée. Elle contenait un antique appareil photo compact, affiché au prix de 4,99 dollars. Après un moment de réflexion, Scottie se laissa tenter. Il aimait bricoler et rafistoler tout ce qui lui tombait sous la main. C'était chaque fois une gageure qu'il se faisait un devoir de réussir. Car, en remettant en état de marche de vieux trucs déglingués, c'était toujours un peu sa propre vie qu'il avait l'impression de réparer.

★

En arrivant chez eux, Scottie et Billie décidèrent d'un commun accord que, même si on n'était que le samedi 23 décembre, ils pouvaient ouvrir leurs cadeaux sans attendre le jour de Noël. Ça leur laisserait toute la fin du week-end pour en profiter, Scottie ayant du travail au garage le lundi. Il faisait froid cette année. Scottie prépara à sa fille une tasse de chocolat chaud avec des mini-marshmallows qui flottaient comme de la mousse à la surface. Billie mit de la musique et passa l'après-midi à peindre tandis que son père lisait son polar en buvant une bière fraîche à petites gorgées.

Ce n'est que le soir venu – alors que Billie s'était lancée dans la préparation de macaronis au fromage –

que Scottie ouvrit la pochette dans laquelle se trouvait l'appareil. En observant l'état de la coque étanche, il devina que l'appareil photo avait sans doute séjourné dans l'eau plusieurs années. Il eut besoin d'un couteau cranté pour faire sauter la protection. L'appareil n'était plus en état de marche, mais après plusieurs tentatives, il réussit à extraire sa carte mémoire qui ne paraissait pas endommagée. Il la connecta à son ordinateur et parvint à copier les photos qu'elle contenait.

Scottie visionna les clichés avec une pointe d'excitation. Cette sensation de pénétrer dans l'intimité d'individus qu'il ne connaissait pas le mettait mal à l'aise autant qu'elle éveillait sa curiosité. Il y avait une quarantaine d'images. Les dernières prises montraient un jeune couple décadent dans un cadre paradisiaque : des plages, de l'eau turquoise, une nature luxuriante, des prises de vue sous-marines de poissons colorés. Sur l'un des clichés, le couple posait devant un hôtel. Photo prise à l'arrache, appareil au-dessus des têtes, un selfie avant l'heure avec en arrière-plan l'*Aumakua Hotel*. En quelques clics, Scottie retrouva l'établissement sur internet : un hôtel de luxe à Hawaï.

Sans doute là que l'appareil a été perdu, il a dû tomber dans l'océan.

Scottie se gratta la tête. Il y avait d'autres photos sur la carte mémoire. Leur horodatage indiquait qu'elles avaient été prises quelques semaines *avant* celles de Hawaï, mais elles ne cadraient pas avec les premiers clichés. On y voyait d'autres personnes, sans doute dans un autre pays et dans un autre contexte. À qui avait appartenu cet appareil ? C'est sur cette interrogation que Scottie quitta son écran pour aller dîner.

Comme il l'avait promis à sa fille, ils passèrent la soirée devant « des films de Noël qui font peur » – en l'occurrence *Gremlins* et *The Nightmare Before Christmas.*

Devant sa télé, Scottie continua à penser à ce qu'il avait découvert. Il but encore une bière, puis une autre, et sombra sur son canapé.

★

Lorsqu'il se réveilla le lendemain, il était presque 10 heures. Un peu honteux d'avoir dormi si longtemps, il découvrit sa fille en plein « travail » devant l'écran de son ordinateur.

— Tu veux que je te fasse un café, papa ?

— Tu sais que tu n'as pas la permission d'aller toute seule sur internet ! la gronda-t-il.

Vexée, Billie haussa les épaules et partit bouder dans la cuisine.

Sur le bureau, à côté de l'ordinateur, Scottie aperçut un vieux papier plié qui ressemblait à un billet d'avion électronique.

— Où as-tu trouvé ça ?

— Dans le petit sac en tissu, répondit Billie en pointant le bout de son nez.

Scottie plissa les yeux pour lire les informations présentes sur le ticket. Il s'agissait d'un vol Delta Air Lines qui, le 12 mai 2015, était parti de Taipei pour rejoindre New York. La passagère était une certaine Eleanor Farago. Scottie se gratta la tête, il comprenait de moins en moins de quoi il était question.

— Moi, je sais ce qui s'est passé, j'ai eu le temps d'y réfléchir pendant que tu dormais comme une marmotte ! affirma triomphalement Billie.

Elle s'installa devant l'ordinateur pour lancer l'impression du planisphère qu'elle venait de télécharger sur internet. Puis, avec un stylo, elle pointa un petit territoire au milieu du Pacifique.

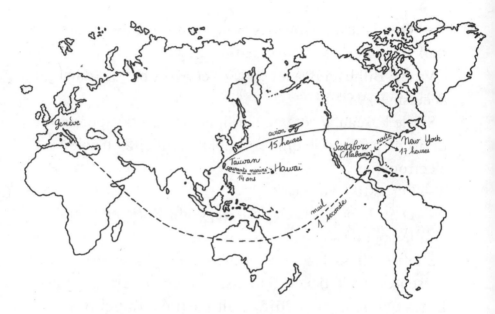

— L'appareil photo a été perdu à Hawaï en 2000 par le couple qui faisait de la plongée sous-marine, commença-t-elle en faisant défiler les dernières photos trouvées dans l'appareil.

— Jusqu'ici, on est d'accord, approuva son père en chaussant ses lunettes.

Billie désigna le billet d'avion tout en traçant une longue flèche à travers l'océan, de Hawaï vers Taïwan.

— Puis l'appareil a dérivé, porté par les courants, jusqu'aux côtes taïwanaises, où il a été retrouvé en 2015 par cette femme, Mme Farago.

— Qui l'aurait ensuite oublié dans son avion en rentrant aux États-Unis ?

— Affirmatif, répondit Billie en hochant la tête. Et c'est comme ça qu'il a été acheminé jusqu'à nous.

En s'appliquant, elle compléta son schéma d'une nouvelle flèche jusqu'à New York, puis d'une ligne en tirets jusqu'à leur petite ville.

Scottie était impressionné par les capacités de déduction de sa fille. Billie avait reconstitué une version presque complète du puzzle. Même si une part du mystère demeurait :

— À ton avis, qui sont les gens sur les premières photos ?

— Je ne sais pas, mais je pense qu'ils sont français.

— Pourquoi ?

— Ce qu'on voit à travers les fenêtres, ce sont les toits de Paris, rétorqua Billie. Et là, c'est la tour Eiffel.

— Je croyais que la tour Eiffel était à Las Vegas.

— Papa !

— Je plaisante, répondit Scottie en hochant la tête et en repensant qu'il avait fait un jour la promesse à Julia de l'emmener à Paris et que cette promesse s'était perdue dans la succession des jours, des semaines et des années qui rouillait le quotidien.

Il visionna encore et encore les clichés *parisiens*, puis ceux pris à Hawaï. Il n'aurait pas trop su dire pourquoi, mais il était hypnotisé par l'enchaînement des images. Comme si un drame couvait derrière ces deux séquences. Comme s'il y avait là un mystère à résoudre digne des intrigues des polars qu'il dévorait.

Que pouvait-il faire de ces photos ? Il n'avait aucune raison de les communiquer à un quelconque service de police, mais une petite voix intérieure lui disait qu'il fallait qu'il les montre à quelqu'un. Peut-être à un journaliste ? Et de préférence à un journaliste français. Mais Scottie ne parlait pas un mot de français.

Il remercia sa fille qui lui tendait une tasse de café noir. Puis ils s'assirent tous les deux devant l'écran. Dans l'heure qui suivit, en tâtonnant et en tapant des mots-clés sur les moteurs de recherche, ils trouvèrent quelqu'un répondant au profil qu'ils avaient défini : une journaliste française qui avait fait une partie de ses études à New York, où elle avait obtenu un Master of Science degree à l'université Columbia. Elle était rentrée ensuite en Europe et travaillait aujourd'hui dans un quotidien suisse.

Billie repéra son mail sur le site du journal, et le père et sa fille rédigèrent un courrier électronique dans lequel ils expliquaient leur trouvaille et leur impression d'être face à un mystère. Pour donner de la force à leurs propos, ils joignirent une sélection de photographies trouvées dans l'appareil. Puis ils envoyèrent leur message comme une bouteille à la mer.

La journaliste s'appelait Mathilde Monney.

L'ANGE
AUX CHEVEUX D'OR

Extrait de l'émission *Bouillon de culture*

Diffusée sur France 2 le 20 novembre 1998

[Un décor chic et minimaliste : draperie couleur crème, colonnes antiques, bibliothèque fictive donnant l'impression d'être sculptée dans le marbre. Autour d'une table basse, les invités sont assis en cercle dans des fauteuils en cuir noir. Demi-lunes sur le nez, vêtu d'une veste en tweed, Bernard Pivot jette un coup d'œil à ses fiches bristol avant de poser chaque question.]

Bernard Pivot : Nous sommes très en retard, mais avant de rendre l'antenne, je voudrais vous soumettre, Nathan Fawles, au traditionnel questionnaire de l'émission. Première question : quel est votre mot préféré ?

Nathan Fawles : Lumière !

Pivot : Le mot que vous détestez ?

Fawles : Voyeurisme, aussi laid par sa signification que par sa sonorité.

Pivot : Votre drogue favorite ?

Fawles : Le whisky japonais. En particulier le Bara No Niwa dont la distillerie a été détruite dans les années 1980 et qui...

Pivot : Holà ! Holà ! Nous ne pouvons pas faire de publicité pour une marque d'alcool sur l'antenne du service public ! Question suivante : le son, le bruit que vous aimez ?

Fawles : Le silence.

Pivot : Le son, le bruit que vous détestez ?

Fawles : Le silence.

Pivot : Ah, ah ! Votre juron, gros mot ou blasphème favori ?

Fawles : Bande de cons.

Pivot : Ce n'est pas très littéraire, ça !

Fawles : Je n'ai jamais su ce qui était « littéraire » et ce qui ne l'était pas. Raymond Queneau, par exemple, emploie cette expression dans ses *Exercices de style* : « Après une attente infecte sous un soleil ignoble, je finis par monter dans un autobus immonde où se serrait une bande de cons. »

Pivot : Homme ou femme pour illustrer un nouveau billet de banque ?

Fawles : Alexandre Dumas, qui a gagné beaucoup avant de tout perdre, et qui rappelait justement que l'argent est un bon serviteur, mais un mauvais maître.

Pivot : La plante, l'arbre ou l'animal dans lequel vous aimeriez être réincarné ?

Fawles : Un chien, car ils sont souvent plus humains que les hommes. Vous connaissez l'histoire du chien de Levinas ?

L'ange aux cheveux d'or

Pivot : Non, mais vous viendrez nous la raconter une autre fois. Dernière question, si Dieu existe, qu'aimeriez-vous, après votre mort, l'entendre vous dire, à vous, Nathan Fawles ?

Fawles : « Tu n'as pas été parfait, Fawles... Mais moi non plus ! »

Pivot : Je vous remercie d'être venu, bonsoir à tous et à la semaine prochaine.

[Musique de générique de fin : The Night Has A Thousand Eyes, interprétée au saxophone par Sonny Rollins.]

6

Les vacances de l'écrivain

Un écrivain n'est jamais en vacances.
Pour un écrivain, la vie consiste soit
à écrire, soit à penser à écrire.
Eugène IONESCO

Mercredi 10 octobre 2018

1.

Le jour n'était pas encore levé. Fawles descendit avec précaution les marches de l'escalier, son chien sur les talons. Dans la salle à manger, la table en bois brut était toujours encombrée des restes du repas de la veille. Les paupières lourdes et l'esprit embrumé, l'écrivain mit de l'ordre dans la pièce en effectuant des gestes mécaniques, dans un ballet de va-et-vient entre le salon et la cuisine.

Quand il eut terminé, il nourrit Bronco et se prépara un grand pot de café. Avec la nuit qu'il venait de passer, il aurait aimé pouvoir s'injecter une intraveineuse de caféine pour l'aider à traverser le brouillard dans lequel il errait.

Un mug brûlant dans les mains, Fawles sortit sur sa terrasse en frissonnant. Des rayures mouvantes, rose incarnat, se diluaient dans le bleu nuit de la toile céleste. Le mistral avait soufflé toute la nuit et continuait à balayer la côte. L'air était sec et glacé, comme si, en quelques heures, le temps était passé sans transition de l'été à l'hiver. L'écrivain remonta la fermeture de son pull camionneur et s'assit à une table installée dans un renfoncement de la terrasse. Un petit cocon, protégé du vent et enduit de chaux blanche, qui faisait office de patio.

Pensif, Nathan redéroula le film du récit de Mathilde en essayant de recoller les morceaux dans un ordre cohérent. La journaliste avait donc été contactée par mail par un péquenot d'Alabama, lequel avait acheté un vieil appareil photo dans un supermarché qui recyclait des objets oubliés dans les avions. L'appareil avait probablement été perdu en 2000 par deux touristes français dans le Pacifique et s'était retrouvé quinze ans plus tard sur une plage taïwanaise. Il contenait plusieurs photographies qui, d'après ce qu'avait suggéré Mathilde, laissaient entrevoir la perspective d'un drame.

— Qu'y avait-il donc sur ces photos? avait demandé Fawles alors que la jeune femme faisait une pause dans son récit.

Elle l'avait dévisagé d'un regard brillant.

— C'est tout pour ce soir, Nathan. Vous aurez la suite de l'histoire demain. On se donne rendez-vous dans l'après-midi à la calanque des Pins?

Il s'était d'abord imaginé qu'elle plaisantait, mais la petite garce avait vidé son verre de saint-julien et s'était levée de son fauteuil.

— Vous vous foutez de moi?

Elle avait enfilé son Perfecto, récupéré ses clés de voiture laissées dans le vide-poches de l'entrée et grattouillé la tête de Bronco.

— Merci pour la blanquette et pour le vin. Vous n'avez jamais songé à ouvrir une table d'hôtes? Je suis certaine que vous feriez un malheur.

Et elle avait quitté la maison toute fiérote en refusant d'en dire davantage.

Vous aurez la suite de l'histoire demain...

Ça l'avait rendu fou de rage. Pour qui se prenait-elle, cette Shéhérazade de pacotille? Elle avait voulu créer son petit suspense, défier le romancier sur son propre terrain, lui montrer qu'elle aussi était capable de faire passer des nuits blanches à ceux qui écoutaient ses histoires.

Petite prétentieuse… Fawles avala une dernière gorgée de café et s'efforça de recouvrer son calme. L'odyssée au long cours de l'appareil numérique était loin d'être inintéressante. Elle avait un potentiel romanesque certain, même si, pour l'instant, il ne voyait pas très bien à quoi elle pouvait mener. Surtout, il ne comprenait pas pourquoi Mathilde avait prétendu que l'histoire le concernait, *lui* ? Il n'avait jamais foutu les pieds ni à Hawaï ni à Taïwan et encore moins en Alabama. Si le récit avait un lien avec lui, ça ne pouvait donc être que par rapport au contenu des photos, mais aucun des noms qu'elle avait cités – Apolline Chapuis et Karim Amrani – ne lui évoquait quelque chose.

Pourtant, il sentait bien que tout ça n'était pas sans conséquence. Derrière cette mise en scène se tramait quelque chose de bien plus grave qu'un simple jeu de séduction littéraire. Que cherchait cette fille, bon sang ? À court terme en tout cas, elle avait réussi son coup, car il n'avait pas fermé l'œil de la nuit. Il s'était fait piéger comme un bleu-bite. Pire : il était en train de réagir exactement comme elle attendait qu'il le fasse.

Bordel… Il ne pouvait plus se contenter de subir la situation. Il devait agir, chercher à en savoir plus sur cette fille avant que le piège qu'elle était en train de mettre en place ne se referme sur lui. Les traits tendus, Nathan frotta ses mains glacées l'une contre l'autre. C'était bien joli de vouloir enquêter, mais il n'avait aucune idée de la façon dont il pouvait s'y prendre. N'ayant pas internet, il ne pouvait pas mener d'investigations en restant cloîtré dans sa maison, et sa cheville raide, gonflée, douloureuse, demeurait un vrai handicap. Une fois de plus, son premier réflexe fut d'appeler Jasper Van Wyck. Mais Jasper était loin. Il pourrait faire quelques recherches sur le Net pour lui, mais pas être le bras armé de sa contre-attaque envers Mathilde. Fawles avait beau examiner le problème sous toutes ses coutures, il fut bien obligé d'admettre qu'il ne s'en sortirait qu'en demandant de l'aide. Il avait besoin de quelqu'un de débrouillard, capable de prendre des risques. Quelqu'un qui serait acquis à sa cause et qui ne poserait pas trente-six mille questions.

Un nom s'imposa dans son esprit. Il quitta sa chaise et retourna dans le salon pour téléphoner.

2.

Blotti au fond de mon lit, je grelottais de tous mes membres. Depuis hier, la température avait bien dû chuter de 10 degrés. En me couchant, j'avais pensé à allumer le radiateur en fonte de ma chambrette, mais il était resté désespérément froid.

Sous mes couvertures, j'apercevais à travers la fenêtre le jour qui se levait, mais pour la première fois depuis que j'étais ici, j'avais du mal à sortir du lit. La découverte du cadavre d'Apolline Chapuis et le blocus décidé par la préfecture avaient métamorphosé Beaumont. En à peine deux jours, le petit paradis méditerranéen s'était brutalement transformé en une gigantesque scène de crime.

Terminés la convivialité, les apéros joyeux, la bonhomie habituelle des habitants. Même la chaleur avait foutu le camp. Désormais, la méfiance était partout. Et la tension était encore montée d'un cran aujourd'hui, lorsqu'un hebdomadaire national avait fait sa couverture sur « Les noirs secrets de l'île Beaumont ». Comme souvent dans ce genre de dossier monté à la va-vite, rien n'était vrai. Les articles étaient un tissu d'infos non vérifiées et de raccourcis trompeurs qui alimentaient des titres et des sous-titres racoleurs. Beaumont apparaissait tantôt comme l'île des millionnaires – quand ce n'était pas l'île des milliardaires –, tantôt comme un repaire d'indépendantistes forcenés à côté desquels les membres du FLNC-Canal historique avaient l'air de Bisounours.

Les Gallinari, les très discrets propriétaires italiens, nourrissaient aussi les fantasmes. Tout se passait comme s'il avait fallu ce drame pour que la France entière découvre l'existence de ce territoire. Quant aux journalistes étrangers, ils n'étaient pas en reste et se faisaient eux aussi un plaisir de relayer les rumeurs les plus farfelues. Ensuite, les organes de presse se recopiaient entre eux, déformant encore un peu plus les informations d'origine, puis tout ça passait à la grande moulinette des réseaux sociaux pour déboucher sur un gloubi-boulga aussi mensonger que vide de sens, n'ayant plus pour fonction que de générer des clics et des retweets. La grande victoire de la médiocrité.

Au-delà de la peur que l'île abrite un tueur en puissance, je pense que c'est cela qui rendait fous les habitants de Beaumont. Voir leur île, leur terre, leurs vies être ainsi exposées sous les sunlights glauques de l'information du xxie siècle. Leur traumatisme était profond, alimenté par le mantra que répétaient tous ceux que j'avais croisés : *rien ne sera plus jamais comme avant.*

Par ailleurs, de la barcasse de pêcheur à des embarcations plus imposantes, tout le monde possédait un bateau ici et l'interdiction de s'en servir était vécue comme une assignation à résidence. Les flics venus du continent qui patrouillaient sur le port étaient vus comme des envahisseurs. Cette intrusion était d'autant moins supportable que jusqu'à présent les enquêteurs ne semblaient pas avoir fait grand-chose, à part jeter l'opprobre sur les Beaumontais. Ils avaient mené des perquisitions dans les rares restaurants et bars de l'île, ainsi que dans quelques magasins susceptibles de posséder une chambre froide ou un congélateur de grande taille, mais rien ne laissait supposer que ces investigations avaient été fructueuses.

Le son d'une notification sur mon téléphone m'incita à émerger de sous mes couvertures. Je me frottai les yeux avant de découvrir ce qui s'affichait à l'écran. Laurent Lafaury venait de publier deux articles coup sur coup. Je me connectai sur son blog. Le premier post était illustré par une photo de son visage tuméfié. Il relatait une agression dont il prétendait avoir été victime la nuit précédente, alors qu'il prenait un verre au comptoir des *Fleurs du Malt*. Un groupe de clients l'aurait pris à partie, lui reprochant d'alimenter par ses tweets la psychose qui commençait à s'installer dans l'île. Lafaury avait dégainé son téléphone pour filmer la scène, mais d'après lui Ange Agostini, le policier municipal, lui avait confisqué son appareil avant de laisser le patron du bar lui infliger une dérouillée, sous les encouragements de certains clients. Le journaliste annonçait son intention de porter plainte et terminait son billet en convoquant la théorie du « bouc émissaire » popularisée par René Girard : chaque société ou communauté en état de crise va éprouver le besoin d'identifier et de stigmatiser des boucs émissaires pour leur faire porter l'origine des maux qu'endure la collectivité.

Sur ce dernier constat, Lafaury était lucide et n'avait pas tort. Le journaliste cristallisait les haines. Il vivait en même temps son heure de gloire et un véritable calvaire. Lui pensait légitimement faire son métier alors qu'une partie des insulaires trouvait qu'il jetait de l'huile sur le feu. L'île avait basculé dans l'irrationnel et il n'était pas impossible d'imaginer d'autres débordements dont il pourrait être la victime. Pour apaiser les esprits et éviter que la situation ne dégénère, il aurait fallu lever le blocus, ce que la préfecture ne paraissait pas encore disposée à faire. Surtout, il aurait fallu que l'on trouve au plus vite l'auteur de ce crime atroce.

Le deuxième post du journaliste concernait l'enquête de police et plus directement la personnalité et l'histoire de la victime.

Née Apolline Mérignac en 1980, Apolline Chapuis a grandi dans le VIIe arrondissement de Paris. Elle a fréquenté l'école Sainte-Clotilde puis le lycée Fénelon-Sainte-Marie. Timide et brillante, elle a intégré une classe prépa littéraire, mais en 1998, pendant son année de khâgne, sa vie sort brutalement de ses rails.

Lors d'une soirée étudiante, elle rencontre Karim Amrani, un petit dealer qui opère boulevard de la Chapelle, dont elle tombe folle amoureuse. Amrani a abandonné ses études de droit à Nanterre. C'est un beau parleur un peu paumé, proche de l'ultra-gauche, qui se rêve Fidel Castro un jour et Tony Montana le lendemain.

Pour lui plaire, Apolline sèche les cours et emménage avec lui dans un squat de la rue de Châteaudun. Peu à peu, Karim tombe dans la came. Il a besoin de toujours plus de fric pour payer ses doses. Malgré tous les efforts de sa famille pour la tirer de là, Apolline s'enfonce dans une vie marginale. Elle commence par se prostituer, mais bientôt les passes ne suffisent plus. Elle devient alors la complice de Karim et plonge avec lui dans la délinquance. S'ensuit un enchaînement de vols, parfois avec violence, qui culmine en septembre 2000 avec le braquage d'un bar PMU près de la place Stalingrad. L'attaque se passe mal. Le proprio se rebelle. Pour l'effrayer, Karim fait feu avec un pistolet à grenaille (l'homme perdra un œil à la suite de sa blessure). Il s'empare de la caisse et rejoint Apolline qui l'attend dehors sur une moto. Une bagnole de flics finit par les repérer et une course-poursuite s'engage pour se terminer, heureusement sans faire de victime, boulevard Poissonnière, juste en face du Grand Rex. Lors du procès, Karim est condamné à huit ans d'emprisonnement. Apolline s'en tire avec la moitié.

Bien sûr... Je me souvenais à présent que certaines dates m'avaient étonné lorsque j'avais parcouru son site internet, comme si Apolline avait eu un long trou dans son CV.

De l'eau coule sous les ponts. Elle sort de Fleury-Mérogis en 2003 et remet sa vie dans le droit chemin. Elle reprend des études à Bordeaux, puis à Montpellier, se marie avec Rémi Chapuis, le fils d'un avocat du coin dont elle divorcera quelques années plus tard sans avoir eu d'enfant. 2012 : elle revient à Bordeaux, monte sa boîte d'œnologie et fait un *coming out* tardif – c'est d'ailleurs une de ses anciennes compagnes qui signale sa disparition à l'hôtel de police de Bordeaux.

À la fin de son blog, Lafaury avait scanné un vieil article du *Parisien* qui rendait compte du procès des

« *Bonnie and Clyde* de Stalingrad ». Une photo en noir et blanc montrait Apolline comme une grande et frêle jeune fille, le visage allongé, les joues creusées, les yeux baissés. Karim était plus petit, râblé, puissant, l'air déterminé. Il avait la réputation de pouvoir être brutal et violent lorsqu'il était sous l'emprise de stupéfiants, mais son comportement lors du procès avait été *clean*. Contre l'avis de son avocat, il avait essayé de dédouaner Apolline le plus possible. Une stratégie qui avait plutôt porté ses fruits.

En terminant la lecture du post, je me dis que la découverte du passé criminel d'Apolline Chapuis pouvait être de nature à calmer les esprits. Peut-être que son meurtre n'avait aucun lien avec Beaumont, ni avec ses habitants. Peut-être que sa mort aurait pu se passer n'importe où ailleurs. Je me demandai aussi ce qu'était devenu Karim Amrani en sortant de taule. Avait-il renoué avec ses activités criminelles ? Avait-il cherché à reprendre contact avec son ancienne complice ? Était-ce vraiment lui qui, à l'époque, exerçait une emprise sur Apolline, ou les choses étaient-elles plus complexes ? Je me demandai surtout s'il était possible que, vingt ans après, le passé sulfureux d'Apolline lui soit revenu comme un boomerang.

L'ange aux cheveux d'or

J'attrapai mon ordinateur au pied de mon lit pour prendre des notes pour mon roman. Depuis la veille, j'écrivais avec frénésie, les pages se noircissaient toutes seules. Je ne savais pas si ce que j'écrivais valait quelque chose, mais je savais que le destin m'avait mis sur la route d'une histoire que quelqu'un devait raconter. Une histoire réelle plus forte que la fiction et qui, je le pressentais, n'en était qu'à ses prémices. Pourquoi étais-je si persuadé que le meurtre d'Apolline n'était que la pointe d'un iceberg encore largement immergé ? Peut-être que la fébrilité des gens me paraissait suspecte, comme si l'île portait un secret qu'elle n'était pas disposée à révéler. En tout cas, j'étais définitivement devenu un personnage de roman, comme dans ces livres dont vous êtes le héros que je lisais lorsque j'étais enfant.

Cette sensation devait encore s'accentuer dans la minute qui suivit. Mon téléphone sonna et un numéro inconnu s'afficha – mais l'indicatif laissait penser à un poste de l'île.

Lorsque je décrochai, je reconnus immédiatement la voix de Nathan Fawles.

Il me demandait de venir le voir chez lui.

Tout de suite.

3.

Cette fois, Fawles ne m'accueillit pas à coups de fusil à pompe, mais avec une tasse de bon café. L'intérieur de la maison était tel que je me l'étais imaginé : à la fois spartiate et spectaculaire, minéral et chaleureux. La parfaite maison d'écrivain. Je voyais sans mal des figures comme Hemingway, Neruda ou Simenon écrire ici. Ou même Nathan Fawles...

Vêtu d'un jean, d'une chemise blanche et d'un pull camionneur, il donnait à boire à son chien, le golden retriever au poil blond. Sans son panama et ses lunettes de soleil, je pouvais enfin voir à quoi il ressemblait vraiment. Pour être honnête, il n'avait pas tellement vieilli par rapport aux photos de la fin des années 1990. Fawles avait une corpulence moyenne, mais il dégageait une vraie présence. Son visage était bronzé, ses yeux clairs comme les eaux translucides qu'on apercevait au loin. Sa barbe de trois jours et ses cheveux tiraient davantage sur le poivre que sur le sel. Quelque chose d'insaisissable et de mystérieux émanait de lui. Une force à la fois grave et solaire. Un rayonnement sombre dont on ne savait s'il fallait ou pas se méfier.

— Allons nous asseoir dehors, proposa-t-il en attrapant une petite mallette en cuir fatigué posée sur une chaise Eames qui devait avoir le double de mon âge.

Je le suivis sur la terrasse. Il faisait toujours un peu frais, mais le soleil s'était levé. À l'extrémité gauche, là où Fawles montait la garde la première fois que je l'avais rencontré, les dalles laissaient place à une étendue en terre battue avant que les rochers ne reprennent leurs droits. Fixée dans le sol sous trois immenses pins parasols, une table aux pieds métalliques était encadrée par deux bancs en pierre.

Fawles m'invita à m'asseoir et prit place en face de moi.

— Je vais aller droit au but, dit-il en plantant ses yeux dans les miens. Si je t'ai fait venir, c'est parce que j'ai besoin de toi.

— De moi ?

— J'ai besoin de ton aide.

— De mon aide ?

— Arrête de répéter ce que je dis, c'est soûlant. J'ai besoin que tu fasses quelque chose pour moi, tu piges ?

— Quoi ?

— Quelque chose d'important et de dangereux.

— Mais… si c'est dangereux, qu'est-ce que je gagne, moi, en échange ?

Fawles posa son cartable sur le plateau de la table recouvert de carreaux en céramique.

— Tu gagnes ce qu'il y a dans cette mallette.

— Je me fiche de ce qu'il y a dans votre cartable.

Il leva les yeux au ciel.

— Comment peux-tu dire que tu t'en fiches alors que tu ne sais même pas ce qu'il contient ?

— Ce que je veux, c'est que vous lisiez mon manuscrit.

Tranquillement, Fawles ouvrit la mallette pour en sortir le roman que je lui avais balancé lors de notre première rencontre.

— Je l'ai déjà lu ton texte, p'tit gars ! lança-t-il, un sourire aux lèvres.

Il me tendit le manuscrit de *La Timidité des cimes*, visiblement ravi de m'avoir piégé.

Fébrilement, je tournai les pages. Elles étaient longuement annotées. Non seulement Fawles avait lu mon roman, mais encore il l'avait corrigé très sérieusement, en y passant un temps conséquent. Soudain, je fus saisi d'une angoisse. J'avais pu supporter les refus des maisons d'édition et les propos condescendants d'un imbécile comme Bernard Dufy, mais serais-je capable de me relever d'un sarcasme de mon idole ?

— Vous avez trouvé ça comment ? demandai-je, tétanisé.

— Franchement ?

— Franchement. C'est nul ?

Sadique, Fawles prit une gorgée de café et tout son temps avant de lâcher :

— D'abord, j'aime beaucoup le titre, sa sonorité, sa symbolique...

Je ne respirais plus.

— Ensuite, je dois reconnaître que c'est plutôt bien écrit...

Je poussai un soupir de soulagement, même si je savais que, pour Fawles, « bien écrit » n'était pas forcément un compliment, ce qu'il s'empressa d'ailleurs de souligner :

— Je dirais même que c'est un peu trop bien écrit.

À son tour, il prit le manuscrit et le feuilleta :

— J'ai noté que tu m'avais piqué deux ou trois trucs d'écriture. Ainsi qu'à Stephen King, Cormac McCarthy et Margaret Atwood...

Je ne savais pas si j'étais censé répondre quelque chose. Le bruit des vagues, en bas de la falaise, montait jusqu'à nous avec une puissance qui donnait l'impression d'être sur le pont d'un bateau.

— Mais ce n'est pas grave, reprit-il, c'est normal d'avoir des modèles quand on débute, et au moins, ça prouve que tu as lu de bons livres.

Il continua à tourner les pages pour revoir ses annotations.

— Il y a des rebondissements, les dialogues sont souvent bien troussés, parfois drôles, et on ne peut pas dire que l'on s'ennuie…

— Mais *?*

— Mais il manque l'essentiel.

Ah oui, quand même…

— Et c'est quoi l'essentiel ? demandai-je, assez vexé.

— À ton avis ?

— Je ne sais pas. L'originalité ? Les idées neuves ?

— Non, on s'en fout des idées, il y en a partout.

— La mécanique de l'histoire ? L'adéquation entre une bonne histoire et des personnages intéressants ?

— La mécanique, c'est un truc de garagiste. Et les équations, c'est un truc de matheux. Ce n'est pas ça qui te fera devenir un bon romancier.

— Le mot juste ?

— Le mot juste, c'est utile dans les conversations, se moqua-t-il. Mais n'importe qui peut travailler avec un dictionnaire. Réfléchis, qu'est-ce qui est vraiment important ?

— L'important, c'est que le livre plaise au lecteur.

— Le lecteur est important, c'est vrai. Tu écris pour lui, on est d'accord, mais chercher à lui plaire est le meilleur moyen pour qu'il ne te lise pas.

— Bon, je ne sais pas, alors. C'est quoi l'essentiel ?

— L'essentiel, c'est la sève qui irrigue ton histoire. Celle qui doit te posséder et te parcourir comme un courant électrique. Celle qui doit te brûler les veines pour que tu ne puisses plus faire autrement que d'aller au bout de ton roman comme si ta vie en dépendait. C'est ça, écrire. C'est ça qui fera que ton lecteur se sentira captif, immergé, et qu'il perdra ses repères pour se laisser engloutir comme tu l'as toi-même été.

Je digérai ce qu'il venait de me dire, puis j'osai une question :

— Concrètement, c'est quoi le problème de mon écriture ?

— Elle est trop sèche. Je n'y sens pas d'urgence. Et surtout, le plus grave, c'est que je n'y sens pas d'émotions.

— Il y en a pourtant !

Fawles secoua la tête.

— Des fausses. Des émotions artificielles, les pires…

Il fit craquer ses doigts et précisa sa pensée :

— Un roman, c'est de l'émotion, pas de l'intellect. Mais pour faire naître des émotions, il faut d'abord les vivre. Il faut que tu ressentes physiquement les émotions de tes personnages. De *tous* tes personnages : les héros comme les salauds.

— C'est ça, le véritable métier de romancier ? Créer des émotions ?

Fawles haussa les épaules.

— En tout cas, c'est ce que j'attends, *moi,* quand je lis un roman.

— Lorsque je suis venu vous demander des conseils, pourquoi m'avez-vous répondu : « Fais autre chose de ta vie que de vouloir devenir écrivain » ?

Fawles soupira :

— Parce que ce n'est pas un boulot pour les gens sains d'esprit. C'est un boulot pour les schizophrènes. Une activité qui requiert une dissociation mentale destructrice : pour écrire, tu dois être à la fois dans le monde et hors du monde. Tu comprends ce que je veux dire ?

— Je crois, oui.

— Sagan avait trouvé la formule parfaite : « L'écrivain est un pauvre animal, enfermé dans une cage avec lui-même. » Lorsque tu écris, tu ne vis pas avec ta femme, tes enfants ou tes amis. Ou plutôt, tu fais semblant de vivre avec eux. Ta véritable existence, tu la passes avec tes personnages pendant un an, deux ans, cinq ans...

À présent, il était lancé :

— Romancier, ce n'est pas un boulot à mi-temps. Si tu es romancier, tu l'es vingt-quatre heures sur vingt-quatre. Tu n'as jamais de vacances. Tu es toujours sur le qui-vive, toujours à l'affût d'une idée qui passe, d'une expression, d'un trait de caractère qui pourrait venir nourrir un personnage.

Je buvais ses paroles. C'était chouette de le voir parler de l'écriture avec passion. C'était le Nathan Fawles que j'avais espéré trouver en venant sur l'île Beaumont.

— Mais ça vaut le coup, Nathan, non ?

— Oui, ça vaut le coup, répondit-il en se laissant emporter. Et tu sais pourquoi ?

Cette fois, oui, j'avais l'impression de savoir :

— Parce que, pendant un moment, on est Dieu.

— Exactement. C'est con à dire, mais pendant un moment, devant ton écran, tu es un démiurge qui peut faire et défaire les destinées. Et quand tu as connu cette euphorie, il n'y a rien de plus bandant.

La perche était trop belle :

— Pourquoi avoir arrêté alors ? Pourquoi avez-vous arrêté d'écrire, Nathan ?

Fawles cessa de parler et son visage se durcit. Ses yeux perdirent de leur éclat. Leur couleur turquoise devint presque marine, comme si un peintre venait d'y diluer quelques gouttes d'encre noire.

— Putain...

Murmuré à voix basse, le mot lui avait presque échappé. Quelque chose s'était cassé.

— J'ai arrêté d'écrire parce que je n'en avais plus la force, voilà.

— Mais vous avez l'air en pleine forme. Et à l'époque, vous n'aviez que trente-cinq ans.

— Je te parle de la force psychologique. Je n'avais plus la disposition d'esprit, l'agilité mentale que nécessite l'écriture.

— À cause de quoi ?

— Ça, c'est *mon* problème, répondit-il en rangeant de nouveau mon texte dans son cartable dont la serrure claqua.

Et je compris que la master class de littérature était terminée et qu'on allait passer à autre chose.

4.

— Bon, tu acceptes de m'aider, oui ou merde ?

Sévère, Fawles accrocha mon regard et ne le lâcha plus.

— Qu'est-ce que vous voulez que je fasse ?

— D'abord, je voudrais que tu te renseignes sur une femme.

— Qui ?

— Une journaliste suisse qui se trouve sur l'île. Une certaine Mathilde Monney.

— Je vois très bien qui c'est ! m'exclamai-je. Je ne savais pas qu'elle était journaliste. Elle est venue à la librairie ce week-end. Elle a même acheté tous vos livres !

L'information laissa Fawles de marbre.

— Qu'est-ce que vous voulez savoir sur elle au juste ?

— Tout ce que tu pourras glaner : pourquoi elle est ici, ce qu'elle fait de ses journées, qui elle rencontre, quelles questions elle pose aux gens.

— Vous pensez qu'elle cherche à écrire un article sur vous ?

Une fois encore, Fawles ignora ma question.

— Ensuite, je veux que tu te rendes là où elle habite et que tu t'introduises dans sa chambre...

— Pour lui faire quoi ?

— Mais rien, abruti ! Tu rentres dans sa chambre quand elle n'est pas là.

— Ce n'est pas légal tout ça...

— Si tu ne veux faire que ce qui est permis, tu ne seras jamais un bon romancier. Et tu ne seras jamais un artiste. L'histoire de l'art, c'est l'histoire de la transgression.

— Vous jouez sur les mots, là, Nathan.

— C'est le propre d'un écrivain.

— Je croyais que vous n'étiez plus écrivain.

— Écrivain un jour, écrivain toujours.

— C'est faible comme citation pour un prix Pulitzer, non ?

— Ta gueule.

— Bon, qu'est-ce que je suis censé trouver dans cette chambre ?

— Je ne sais pas exactement. Des photos, des articles, du matériel informatique…

Il se resservit une tasse de café et en avala une gorgée en grimaçant.

— Ensuite, je veux que tu écumes internet pour ramasser tout ce que tu pourras sur Mathilde, puis…

J'avais déjà dégainé mon portable pour lancer mes recherches, mais Fawles m'arrêta :

— Écoute-moi d'abord ! Et ne perds pas ton temps : il n'y a ni wi-fi ni réseau ici.

Je reposai mon appareil comme un élève pris en faute.

— Je veux aussi que tu fasses des recherches sur deux noms : Apolline Chapuis et…

J'écarquillai les yeux, l'interrompant :

— La femme assassinée ?

Fawles fronça les sourcils.

— Qu'est-ce que tu racontes ?

À l'expression de son visage, je me rendis compte que l'écrivain vivait dans une telle solitude que l'existence et les circonstances du drame qui agitait Beaumont depuis plusieurs jours n'étaient pas remontées jusqu'à lui. Je le mis au courant de tout ce que je savais : le meurtre d'Apolline, son corps congelé, son passé criminel au côté de Karim Amrani, le blocus de l'île.

Plus j'égrenais mes informations, plus je voyais la stupeur se peindre dans ses yeux et sur son visage. L'inquiétude initiale que j'avais détectée en arrivant chez lui avait laissé place à un effarement total et une angoisse palpable qui habitaient tout son être.

Lorsque j'eus fini de parler, Fawles était groggy. Il eut besoin d'un moment pour reprendre pied, mais finit par retrouver sa contenance. Et, après une hésitation, il me livra à son tour des informations, me confiant l'histoire que lui avait racontée Mathilde Monney la veille : l'incroyable itinéraire de cet appareil photo perdu par Apolline et Karim. Sur le moment, je ne compris pas grand-chose. L'accumulation de faits m'empêchait de les relier entre eux. J'avais beaucoup de questions à poser à Fawles, mais il ne m'en laissa pas le temps. À peine son récit terminé, il me prit par le bras et me raccompagna à l'entrée.

— Va fouiller la chambre de Mathilde, *tout de suite* !

— Tout de suite, je ne peux pas. Je dois prendre mon poste à la librairie.

— Démerde-toi ! cria-t-il. Rapporte-moi des infos !

Il referma violemment la porte sur moi. Je compris que la situation était grave et que j'avais intérêt à faire ce que Fawles m'avait demandé.

7

Plein Soleil

Hic Sunt Dragones.
(Ici sont les dragons.[1])

1.

Pointe sud-ouest de l'île.

Mathilde Monney claqua la porte de son pick-up, alluma le moteur et fit demi-tour sur le chemin graveleux. De l'extérieur, la chambre d'hôtes dans laquelle vivait la journaliste ressemblait à un cottage anglais. Une maisonnette à colombages au toit de chaume dont la façade recouverte d'une pierre marbrière était colonisée par des rosiers grimpants. Derrière s'étendait un jardin sauvage qui se prolongeait jusqu'à un vieux pont à double arche permettant de rejoindre la presqu'île Sainte-Sophie.

---

1. Expression latine utilisée en cartographie médiévale pour indiquer des territoires inconnus ou dangereux.

Je ne m'étais rendu que deux fois sur la côte sud. La première pour apercevoir le monastère tout proche où vivaient les bénédictines, et la seconde en compagnie d'Ange Agostini, le jour où on avait retrouvé le cadavre d'Apolline près de Tristana Beach. Lorsque j'avais débarqué sur l'île, Audibert m'avait expliqué qu'historiquement, cette partie de Beaumont était l'endroit de prédilection des anglophones. Et c'était justement chez une vieille Irlandaise que s'était installée Mathilde. La maison appartenait depuis des lustres à Colleen Dunbar, une ancienne architecte qui arrondissait ses fins de mois en louant la chambre du premier étage selon le modèle du *bed & breakfast*.

Pour venir jusqu'ici, j'avais renoncé à mon vélo – j'avais crevé en revenant de chez Fawles – et loué un scooter électrique devant *Ed's Corner* que j'avais dissimulé dans un fourré. J'avais dû négocier sec avec Audibert pour obtenir ma matinée. Le libraire était de plus en plus ombrageux, comme s'il portait sur ses épaules toute la misère du monde.

En attendant que la voie soit libre, j'étais descendu sur les rochers à un endroit où ils ne plongeaient pas trop à pic. Depuis mon poste d'observation, je profitais de la beauté stupéfiante de ce coin sauvage tout en ne perdant pas de vue le cottage. Vingt minutes plus tôt, j'avais aperçu la vieille Dunbar en train de quitter sa maison. Sa fille était venue la chercher en voiture pour l'emmener faire des courses. Mathilde s'apprêtait à en faire autant. Son pick-up s'éloigna de la propriété et tourna vers l'ouest, un endroit où la portion de la route était plate et rectiligne. J'attendis qu'elle soit hors de ma vue pour sortir de ma planque, escalader les rochers et me diriger vers le cottage.

Un rapide coup d'œil autour de moi me rassura. Il n'y avait pas de voisin proche. Le couvent devait se trouver à plus de cent mètres. En insistant, je distinguai trois ou quatre religieuses qui s'affairaient dans leur potager, mais dès que je contournai l'arrière de la maison, elles ne furent plus en position de m'apercevoir.

Pour être honnête, je n'étais pas très à l'aise avec l'idée de faire quelque chose d'interdit. Toute ma vie, j'avais été prisonnier volontaire du *syndrome du bon élève*. J'étais fils unique, issu de cette classe moyenne à l'équilibre budgétaire fragile. Mes parents avaient toujours beaucoup investi – leur temps, leur énergie, le peu d'argent qu'ils gagnaient – pour que je réussisse dans mes études et pour que je sois « quelqu'un de bien ». Très jeune, je m'étais appliqué à ne pas les décevoir et à éviter les conneries. Et ce côté boy-scout était devenu une seconde nature. Mon adolescence avait été un long fleuve tranquille. J'avais peut-être grillé trois cigarettes dans la cour de récré lorsque j'avais quatorze ans et deux ou trois feux rouges sur mon scooter, enregistré quelques pornos sur Canal+ et cassé le nez d'un type qui m'avait durement taclé au foot, mais c'était à peu près tout.

Même calme plat pendant ma vie d'étudiant. J'avais pris deux cuites, « embarqué » le stylo plume en bois d'amourette d'un élève de mon école de commerce et volé une Pléiade de Georges Simenon à la librairie *L'Œil Écoute* du boulevard du Montparnasse. Depuis, la librairie avait fermé et chaque fois que je passais devant le magasin de fringues qui l'avait remplacée, je me demandais si j'étais pour quelque chose dans cette faillite.

Plus sérieusement, je n'avais jamais fumé de joint ni touché à la moindre drogue – à vrai dire, je n'aurais même pas su comment m'en procurer. Je n'étais pas un fêtard, il me fallait mes huit heures de sommeil par nuit, et depuis deux ans je travaillais tous les jours, week-end et vacances compris, soit pour écrire mon livre, soit pour effectuer les boulots alimentaires qui payaient mon loyer. Dans un roman, j'aurais pu incarner à la perfection le personnage du jeune

162

homme naïf et sentimental que l'enquête et ses péripéties allaient se charger d'endurcir.

J'avançai donc vers l'entrée en essayant de prendre un air dégagé. Tout le monde m'avait juré qu'à Beaumont, les gens ne fermaient jamais leur porte. Je tournai la poignée qui resta désespérément bloquée. Encore une légende que les habitants de l'île devaient raconter aux touristes ou à de pauvres crédules comme moi. Ou peut-être que la découverte du cadavre d'Apolline à quelques kilomètres d'ici avait incité la journaliste à être plus méfiante.

J'allais devoir entrer par effraction. Je regardai la porte vitrée de la cuisine, mais elle me parut en verre trop épais pour que j'arrive à la briser sans me blesser. Je retournai à l'arrière de la maison. Au loin, les religieuses semblaient avoir déserté le potager. J'essayai de m'encourager. Il me suffisait de trouver une vitre moins résistante et de la faire exploser d'un coup de coude. Sur une terrasse maçonnée à la va-vite, l'Irlandaise avait installé une pauvre table en teck grisâtre et trois chaises que le soleil, la pluie et le sel marin avaient totalement abrasées. C'est là, derrière ce salon d'été, que j'eus la bonne surprise de voir qu'un des battants de la porte-fenêtre était resté ouvert. Trop beau pour être vrai?

2.

Je pénétrai dans le salon. L'endroit était calme et surchauffé. Il y planait une odeur tiède et douceâtre de tarte aux pommes à la cannelle. Le décor était à l'avenant : une bonbonnière tendance *british* avec des bougies à foison, des plaids écossais, des rideaux aux motifs fleuris, des tapisseries romantiques et des assiettes accrochées sur les murs.

Je m'apprêtais à monter à l'étage lorsque j'entendis un bruit. Je me retournai pour apercevoir un dogue allemand en train de fondre sur moi. Il s'arrêta à moins d'un mètre, en posture d'attaque. C'était une énorme boule de muscles, au poil sombre et lustré, qui m'arrivait au niveau du bas-ventre. Les oreilles en alerte, il me fixait de son regard menaçant en poussant des grondements effrayants. Il portait autour du cou une sorte de grosse médaille gravée sur laquelle on pouvait lire *Little Max*. Un nom qui avait dû être mignon lorsque le chien avait deux ou trois mois, mais qui à présent ne semblait plus très approprié. Je voulus battre en retraite, mais ça n'empêcha pas le dogue de se ruer sur moi. Je m'écartai *in extremis* et me précipitai dans l'escalier, montant les marches trois par trois, sentant le molosse prêt à me planter ses crocs dans la jambe. Dans un effort, je me propulsai en haut des marches, entrai dans la première pièce que je rencontrai et refermai la porte derrière moi, la claquant littéralement au nez du chien.

Tandis qu'il se jetait sur le battant avec des aboiements furieux, je repris mon souffle et rassemblai mes esprits. Coup de bol – enfin, façon de parler, parce que j'avais quand même failli perdre un pied –, je me trouvais manifestement dans la chambre que louait Mathilde.

C'était une sorte de studio, avec des poutres apparentes en bois clair, hanté par le fantôme de Laura Ashley. Des bouquets de fleurs séchées étaient disposés sur des meubles patinés repeints dans des tons pastel, des motifs champêtres et bucoliques ornaient les rideaux et le dessus-de-lit. Mais Mathilde avait configuré le *bed & breakfast* en une drôle de pièce de travail. Une parfaite *war room* dédiée à une obsession : Nathan Fawles.

Le fauteuil crapaud en velours rose croulait sous les livres et les dossiers. La table principale avait été transformée en bureau, la jolie coiffeuse avec son miroir en meuble pour imprimante. Tandis que Little Max continuait à s'exciter derrière la porte, je commençai à compulser les documents.

Il était clair que Mathilde Monney menait une véritable enquête sur Fawles. Il n'y avait pas d'ordinateur sur son poste de travail, mais on y trouvait des dizaines d'articles imprimés surlignés au Stabilo. Je connaissais ces papiers. C'étaient ceux qui sortaient toujours quand on faisait une recherche sur le Net : les mêmes vieilles interviews des années 1990, réalisées avant que Fawles n'arrête d'écrire, puis les deux articles de référence, celui du *New York Times* en 2010, « The Invisible Man », et celui du *Vanity Fair* américain d'il y a trois ans, « Fawles or False ? (and Vice Versa) ».

Mathilde avait également annoté les trois livres de l'écrivain et imprimé de nombreuses photos de Nathan. Notamment des copies d'écran de son dernier passage à l'émission de Bernard Pivot, *Bouillon de culture*. Pour une raison que j'ignorais, la journaliste avait fait des gros plans sur... les chaussures que portait Fawles pendant l'émission. Je regardai ses papiers avec plus d'attention. En se connectant sur des forums spécialisés, Mathilde pensait avoir retrouvé le modèle précis : des boots Weston référence « Cambre 705 » en cuir de veau marron à empiètement élastique.

Je me grattai la tête. À quoi rimait tout ça ? La journaliste n'était pas en train d'écrire un énième marronnier sur le reclus de l'île Beaumont. L'enquête qu'elle menait sur Fawles s'apparentait à une investigation policière. Mais quelles étaient ses motivations ?

L'ange aux cheveux d'or

En ouvrant les dossiers cartonnés qui s'entassaient sur le fauteuil crapaud, je fis une autre découverte : des photos prises au téléobjectif d'un homme que l'on voyait évoluer dans différents endroits. Un Maghrébin d'une bonne quarantaine d'années, en tee-shirt et veste en jean. Je reconnus immédiatement le décor : l'Essonne, plus particulièrement la ville d'Évry. Impossible de se tromper. Les clichés étaient suffisamment nombreux. La cathédrale à l'architecture contestée, le centre commercial Évry 2, le parc des Coquibus, l'esplanade de la gare d'Évry-Courcouronnes. Durant ma dernicre année d'école de commerce, j'avais eu une petite amie qui y habitait. Joanna Pawlowski. Troisième dauphine au concours Miss Île-de-France 2014. Le plus joli visage qu'on puisse imaginer. De grands yeux verts, une blondeur toute polonaise, une douceur et une grâce dans chacun de ses gestes. Je la raccompagnais souvent après les cours. Pendant un trajet interminable – le RER D de la gare du Nord jusqu'à Évry –, j'essayais de la convertir à ma religion de la lecture. Je lui avais offert mes livres préférés – *Le Roman inachevé*, *Le Hussard sur le toit*, *Belle du Seigneur* – mais rien n'y avait fait. Joanna avait le physique de l'héroïne romantique, mais elle était tout sauf romantique.

J'étais rêveur, elle était terre à terre. Pleinement ancrée dans la réalité des choses alors que mon territoire était celui des sentiments. Elle m'avait quitté en même temps qu'elle avait arrêté ses études pour aller travailler dans la bijouterie d'une galerie marchande. Six mois plus tard, elle me convoquait dans un café pour m'annoncer qu'elle épousait Jean-Pascal Péchard – dit JPP –, un des responsables de rayon de l'hypermarché du même centre commercial. Les poèmes que j'avais continué à lui écrire n'avaient pesé que peu de poids face au pavillon de Savigny-sur-Orge que JPP avait acheté en s'endettant pour vingt-cinq ans. Pour consoler ma vanité froissée, je m'étais dit qu'un jour, elle le regretterait, lorsqu'elle m'entendrait parler de mon premier roman à *La Grande Librairie*. En attendant, ça m'avait durablement cassé le moral. Chaque fois que je repensais à Joanna, que je regardais une photo d'elle sur mon téléphone, il me fallait un long moment pour admettre que la délicatesse de ses traits n'avait rien à voir avec la délicatesse de son esprit. Pourquoi les deux seraient-ils liés, d'ailleurs ? C'était une fausse évidence que je devais ancrer comme telle dans mon cerveau pour m'éviter d'autres déconvenues.

Un aboiement du dogue derrière la porte me tira de mes pensées et me rappela l'urgence de la situation. Je me replongeai dans les photos. Elles étaient horodatées au 12 août 2018. Qui les avait prises ? Un flic, un détective privé, Mathilde elle-même ? Et surtout, qui était cet homme ? Soudain, sur une pose où l'on voyait mieux son regard, je le reconnus : c'était Karim Amrani. Avec vingt ans de plus et autant de kilos.

Après son séjour en prison, l'ancienne petite frappe du boulevard de la Chapelle s'était apparemment installée dans l'Essonne. Sur d'autres clichés, on le voyait parler avec des mécaniciens, entrer et sortir d'un garage dont il semblait être le gérant ou le propriétaire. S'était-il rangé lui aussi, à l'image d'Apolline ? Et, à son tour, sa vie était-elle menacée ? Je n'avais ni le temps ni les éléments pour répondre à ces questions. J'hésitai à emporter ces documents. Pour ne pas laisser de traces de mon passage, je décidai finalement de photographier les plus importants avec mon téléphone.

Les questions continuaient à se bousculer dans ma tête. Pourquoi Mathilde s'intéressait-elle à Amrani ? À cause de cette histoire d'appareil photo sans doute, mais quel était le lien avec Fawles ? Dans l'espoir de le découvrir, j'effectuai avant de partir une fouille plus poussée de la chambre et de la salle de bains. Rien sous le matelas, les tiroirs ou les placards. Je soulevai le couvercle de la chasse d'eau pour en inspecter l'intérieur et sondai le parquet du pied : il n'était pas stable à tous les endroits, mais je ne trouvai pas de latte amovible qui aurait pu servir de cachette.

En revanche, derrière les toilettes, l'une des plinthes sauta dès que je la touchai. Sans trop y croire, je m'accroupis et passai l'avant-bras dans la fente pour y découvrir un épais paquet de lettres retenu par un ruban élastique. Au moment où j'allais les examiner, j'entendis un bruit de moteur. Little Max cessa de s'égosiller à la porte et se rua en bas de l'escalier. Je jetai un coup d'œil à travers le rideau. Colleen Dunbar et sa fille étaient déjà de retour. Pris par l'urgence, je pliai le paquet de lettres et le mis dans la poche intérieure de mon blouson. J'attendis que les deux femmes aient disparu de mon champ de vision pour ouvrir la fenêtre à guillotine qui donnait sur le toit d'une remise. De là, je sautai sur la pelouse et, les jambes flageolantes, je traversai la route en courant pour récupérer mon scooter.

Alors que je démarrais l'engin, j'entendis des aboiements derrière moi. Le dogue allemand venait de s'élancer à ma poursuite. Le cyclomoteur électrique se traîna dans les premiers mètres, montant péniblement à quarante à l'heure, mais une pente bienvenue lui fit prendre de la vitesse et me permit de faire un doigt d'honneur au chien lorsque je le vis renoncer, rentrant chez lui la queue entre les pattes.

Fuck you, Little Max...

3.

Le soleil était chaud et haut dans le ciel, comme si c'était à nouveau l'été. Le vent avait tiédi et perdu de sa force. Vêtue d'un short en toile et d'un tee-shirt Blondie, Mathilde sautait sur les rochers avec aisance.

La calanque des Pins était l'un des endroits les plus époustouflants de l'île. Une petite vallée, profonde et étroite, creusée dans une roche d'une blancheur aveuglante.

Son accès se méritait et nécessitait quelques efforts. Mathilde avait garé sa voiture sur le terre-plein de la plage des Ondes, puis elle avait emprunté le sentier creusé comme un labyrinthe dans le granit. Il lui avait fallu une bonne heure de marche pour rallier la calanque. D'abord en faux plat, le chemin se raidissait le long d'une côte escarpée et très découpée, qui offrait des panoramas aussi sauvages que fabuleux.

Puis c'était la descente vers la mer – un vrai casse-gueule. Les derniers mètres étaient les plus difficiles car ils plongeaient à pic, mais le jeu en valait vraiment la chandelle. Lorsqu'on arrivait sur la plage, on avait une impression de bout du monde et de paradis perdu : une eau turquoise, un sable ocre, l'ombre des pins et l'odeur enivrante des eucalyptus. Il y avait même des grottes pas loin, mais il était interdit de le révéler aux touristes.

En forme de demi-lune, protégée des vents par les falaises de granit, la plage n'était pas très étendue. Pendant les mois de juillet et d'août, on pouvait parfois s'y sentir à l'étroit à cause de l'affluence, mais en ce matin d'octobre, l'endroit était désert.

À une cinquantaine de mètres en face de la calanque s'élevait un minuscule îlot, une pointe dressée vers le ciel qui portait le nom de Punta dell'Ago. À la belle saison, des adolescents téméraires s'amusaient à l'escalader pieds nus avant de plonger dans la mer. L'un des rites initiatiques de l'île.

Derrière ses lunettes de soleil, Mathilde regardait fixement l'horizon. C'est à côté du piton rocheux que Fawles avait jeté l'ancre de son bateau. Les chromes du Riva et sa coque vernie en acajou étincelaient sous le soleil de l'après-midi. Pour un peu, on se serait cru en Italie à l'époque de la *dolce vita*, ou dans une crique du Saint-Tropez des sixties.

Elle lui fit signe de loin, mais il ne donnait pas l'impression d'être disposé à accoster pour l'embarquer.

L'ange aux cheveux d'or

Si tu ne viens pas à Lagardère...

Après tout, elle avait son maillot de bain sur elle. Elle retira son short et son tee-shirt, les rangea dans son sac qu'elle cala au pied des rochers pour n'emporter que la pochette étanche qui protégeait son téléphone portable.

L'eau était froide, mais limpide. Elle avança dans la mer sur deux ou trois mètres puis plongea sans se poser de questions. Une onde glacée la parcourut, qui s'atténua au fil des mouvements de brasse. La jeune femme avait le Riva en ligne de mire. Debout au volant, vêtu d'un polo bleu marine et d'un pantalon clair, Fawles la regardait approcher, les bras croisés. Son expression, masquée par ses lunettes de soleil, était indéchiffrable. Lorsque Mathilde ne fut plus qu'à quelques coulées du canot, il lui tendit la main, mais sembla hésiter deux secondes avant de l'aider à se hisser sur l'embarcation.

— Un moment, j'ai cru que vous alliez chercher à me noyer.

— Peut-être que j'aurais dû, dit-il en lui tendant une serviette.

Elle partit s'asseoir sur la banquette aux selleries de cuir bleu turquoise – le célèbre aquamarine de Pantone qui donnait son nom au bateau.

— Quel accueil ! s'exclama-t-elle en se frictionnant les cheveux, le cou et les bras.

Fawles la rejoignit.

— Ce n'était pas malin, ce rendez-vous. J'ai été obligé de sortir mon bateau malgré le blocus.

Mathilde écarta les bras.

— Si vous êtes venu, c'est que vous êtes curieux de mon histoire ! La vérité a un prix !

Fawles avait sa tête des mauvais jours.

— Ça vous amuse, tout ça ? demanda-t-il.

— Bon, vous la voulez la suite de l'histoire ou pas ?

— Si vous croyez que je vais vous supplier ! Vous avez plus envie de me la raconter que je n'ai envie de l'entendre.

— Très bien. Comme vous voudrez.

Elle fit mine de plonger, mais il la retint par le bras.

— Arrêtez vos enfantillages ! Dites-moi ce qu'il y avait sur les clichés que contenait l'appareil photo.

Mathilde attrapa la lanière de la pochette imperméable qu'elle avait posée sur le siège. Elle activa son téléphone, ouvrit l'application Photo et poussa la luminosité au maximum avant de montrer à Fawles les clichés qu'elle avait sélectionnés.

— Ça, ce sont les dernières photos qui ont été prises, datées de juillet 2000.

Fawles les regarda en balayant l'écran. C'était exactement ce à quoi il s'attendait. Les photos de vacances à Hawaï des deux sbires qui avaient perdu l'appareil : Apolline et Karim vont à la plage, Apolline et Karim s'envoient en l'air, Apolline et Karim se prennent une biture, Apolline et Karim font de la plongée.

Les autres images que lui montra Mathilde étaient plus anciennes ; elles remontaient à un mois auparavant. Fawles les fit défiler et elles le cueillirent comme un uppercut dans l'estomac. On y voyait une famille de trois personnes en train de fêter un anniversaire. Un homme, une femme et leur fils d'une dizaine d'années. C'était le printemps, on avait dîné sur la terrasse. La nuit allait bientôt tomber, mais le ciel était encore rose. Derrière, on distinguait des arbres, puis on reconnaissait les toits de Paris et même la silhouette de la tour Eiffel.

— Regardez bien le petit garçon, demanda Mathilde d'une voix tendue en choisissant une photo en gros plan.

Protégeant l'écran du soleil, Fawles s'arrêta sur le gamin. Un visage espiègle, des yeux brillants derrière des lunettes à monture rouge, des cheveux blonds en bataille, le drapeau tricolore peinturluré sur les joues. Il portait un maillot bleu de l'équipe de France de football et il faisait avec ses doigts le V de la victoire. Il avait l'air doux, gentil et facétieux.

— Vous connaissez son prénom ? demanda-t-elle.

Fawles secoua la tête.

— Il s'appelait Théo, dit-elle. Théo Verneuil. Il fêtait son onzième anniversaire ce soir-là. C'était le dimanche 11 juin 2000, le soir du premier match de l'équipe de France lors de l'Euro de foot.

— Pourquoi vous me montrez ça ?

— Vous savez ce qui lui est arrivé ? Environ trois heures après que fut prise cette photo, ce même soir, Théo a été tué d'une balle dans le dos.

4.

Fawles ne cilla pas. Il balaya l'écran pour examiner plus attentivement les photos des parents du gamin. Son père, la belle quarantaine, l'œil vif, le teint hâlé, la mâchoire volontaire, incarnait une certaine assurance, une envie d'agir et d'aller de l'avant. La mère, une jolie brune au chignon sophistiqué, était plus en retrait.

— Vous savez de qui il s'agit ? demanda Mathilde.

— Oui, c'est la famille Verneuil. On a suffisamment parlé de cette affaire à l'époque pour que je m'en souvienne.

— Et de quoi vous souvenez-vous exactement ?

Les yeux plissés, Fawles gratta sa barbe naissante avec le plat de sa main.

— Alexandre Verneuil était une figure de la médecine humanitaire proche de la gauche. Il faisait partie de la deuxième vague des *french doctors*. Il avait écrit quelques livres et intervenait parfois dans les médias pour parler de bioéthique ou d'ingérence humanitaire. Dans mon souvenir, c'est justement au moment où le grand public commençait vraiment à l'identifier qu'il a été assassiné chez lui avec sa femme et son fils.

— Sa femme s'appelait Sofia, précisa Mathilde.

— Ça, je ne m'en souvenais pas, dit-il en s'éloignant de la banquette. Mais je me rappelle très bien que ce sont surtout les circonstances de ces meurtres qui ont choqué les gens. L'assassin – ou les assassins peut-être – s'est introduit dans l'appartement des Verneuil et a massacré toute la famille sans que l'enquête puisse jamais déterminer ni le mobile de ces meurtres, ni le nom du ou des coupables.

— Pour le mobile, on a toujours pensé que c'était le vol, nuança Mathilde en avançant vers la proue du bateau. Des montres de valeur et des bijoux ont disparu, ainsi… qu'un appareil photo.

Fawles commençait à comprendre.

— Donc, c'est ça votre thèse : vous pensez avoir retrouvé les assassins de la famille Verneuil grâce à ces photos ? Vous pensez que Chapuis et Amrani ont tué les Verneuil pour un simple vol ? Qu'ils ont tué un gosse pour dix babioles ?

— Ça se tient, non ? Il y a eu un autre cambriolage dans l'immeuble le même soir, à l'étage du dessus. Le deuxième a pu mal tourner.

Fawles s'agaça.

— On ne va pas refaire l'enquête aujourd'hui, vous et moi !

— Et pourquoi pas ? À cette époque, Apolline et Karim ont perpétré une palanquée de cambriolages. Lui était camé jusqu'à la moelle. Il leur fallait du cash tout le temps.

— Sur les photos de Hawaï, je n'ai pas l'impression qu'il soit particulièrement camé.

— Comment auraient-ils pu s'emparer de l'appareil photo s'ils ne l'avaient pas volé ?

— Écoutez, je me contrefous de cette affaire et je ne vois pas en quoi elle me concerne.

— Apolline a été découverte clouée à un arbre à quelques encablures d'ici ! Vous ne voyez pas que l'affaire Verneuil est en train de ressurgir ici, sur l'île ?

— Et qu'est-ce que vous attendez de moi ?

— Que vous écriviez la fin de cette histoire.

Fawles laissa percer son exaspération :

— Expliquez-moi ! En quoi ça vous fait triper de remuer cette vieille affaire ? Tout ça parce qu'un bouseux d'Alabama vous a envoyé de vieilles photos par mail, vous vous sentez soudain investie d'une mission ?

— Absolument ! Parce que j'aime les gens.

Il l'imita en forçant le trait :

— « J'aime les gens. » N'importe quoi ! Est-ce que vous vous écoutez parler ?

Mathilde contre-attaqua :

— Ce que je veux dire, c'est que je ne suis pas étrangère au sort de mes semblables.

Fawles se mit à marcher de long en large sur le bateau.

— Mais dans ce cas, écrivez plutôt des articles pour alerter vos « semblables » sur le changement climatique, l'épuisement des océans, la disparition des animaux sauvages, la dégradation de la biodiversité. Mettez-les en garde contre le fléau de la manipulation des informations. Réintroduisez du contexte, de la distance, ajoutez de la perspective. Faites des sujets sur l'école et l'hôpital public qui sont au bord de la rupture, sur l'impérialisme des grandes multinationales, sur la situation dans les prisons et...

— Ça va, Fawles, j'ai saisi l'idée. Merci pour la leçon de journalisme.

— Travaillez sur des trucs utiles, quoi !

— Rendre justice aux morts, c'est utile.

Il s'arrêta net et la menaça de l'index.

— Les morts sont morts. Et là où ils sont, ils se foutent pas mal de vos petits articles, croyez-moi. Quant à moi, je n'écrirai JAMAIS une seule ligne sur cette affaire. Ni sur aucune autre d'ailleurs.

Excédé, Fawles s'éloigna pour s'asseoir au poste de pilotage. Derrière le pare-brise au format CinémaScope, il s'abîma dans la contemplation de la ligne d'horizon, comme s'il désirait ardemment lui aussi être à des milliers de kilomètres de l'endroit où il se trouvait.

Mathilde revint à la charge en lui mettant son téléphone sous le nez, avec sur l'écran la photo de Théo Verneuil.

— Retrouver les coupables de trois meurtres dont celui d'un enfant, ça vous laisse froid ?

— Oui, parce que je ne suis pas flic ! Vous voulez rouvrir une enquête qui a presque vingt ans ? Mais au nom de quoi ? Vous n'êtes pas juge, que je sache ?

Il fit mine de se frapper le front avec le creux de la main.

— Ah si, j'oubliais, vous êtes journaliste. C'est pire !

Mathilde ignora l'attaque.

— Je veux que vous m'aidiez à démêler les fils de cette histoire.

— Je déteste vos méthodes misérables et tout ce que vous représentez. Alors que j'étais dans une situation vulnérable, vous avez enlevé mon chien pour entrer en contact avec moi. Vous me le paierez, je hais les gens comme vous.

— Ça, il m'avait semblé l'avoir compris. Et puis arrêtez un peu avec votre toutou ! Je vous parle d'un enfant. Si ce gamin était le vôtre, vous voudriez savoir qui l'a tué.

— Raisonnement inepte. Je n'ai pas d'enfant.

— Non, forcément, vous n'aimez personne ! Ah si, vous aimez vos personnages, vos petits êtres de papier sortis directement de votre esprit. C'est bien plus confortable.

Elle se frappa le front.

— Ah ben non ! Même pas ! Puisque Monsieur le grand écrivain a décidé de ne plus écrire. Pas même une liste de courses, c'est bien ça ?

— Foutez le camp, petite idiote. Déguerpissez !

Mathilde ne bougea pas d'un centimètre.

— On ne fait pas le même boulot, Fawles. Le mien, c'est de faire éclater la vérité. Vous ne me connaissez pas. J'y arriverai. J'irai jusqu'au bout.

— Faites ce que vous voulez, je m'en contrefous, mais ne revenez plus jamais traîner autour de chez moi.

Elle le menaça en pointant à son tour son index vers lui :

— Oh si, je reviendrai, je vous en donne ma parole. Je reviendrai et, la prochaine fois, vous serez *obligé* de m'aider à mettre un point final à cette histoire. Obligé de vous confronter à… comment vous dites déjà ? Ah oui, votre *indicible vérité*.

Cette fois, Fawles explosa et bondit vers Mathilde. Le canot tangua et la jeune femme poussa un cri. Avec toute la force dont il était capable, Fawles la souleva et la projeta à la mer avec son téléphone portable.

Fulminant, il alluma le moteur du Riva et mit le cap sur *La Croix du Sud*.

8

Chaque personne est une ombre

> *Une personne [...] est une ombre où nous ne pouvons jamais pénétrer, [...] une ombre où nous pouvons tour à tour imaginer, avec autant de vraisemblance, que brillent la haine et l'amour.*
>
> Marcel PROUST

1.

Après mon expédition mouvementée dans le cottage de Colleen Dunbar – qui s'était terminée par mon face-à-face victorieux contre Little Max –, j'étais revenu en ville où j'avais trouvé refuge à une table des *Fleurs du Malt*. J'avais évité l'animation de la terrasse pour me replier à l'intérieur, près de l'embrasure d'une croisée d'où on voyait la mer. Devant un chocolat chaud, j'avais lu et relu les lettres dérobées dans la chambre de Mathilde. Elles étaient toutes rédigées de la même main, et mon cœur avait bondi lorsque j'avais reconnu l'écriture, penchée et déliée, de Nathan

Fawles. Je n'avais eu aucun doute, car j'avais vu sur internet plusieurs scans des manuscrits de ses romans dont il avait fait don à la bibliothèque municipale de New York.

Il y avait une vingtaine de lettres d'amour, sans enveloppes, envoyées de Paris ou de New York. Seules quelques-unes étaient datées, dans un intervalle qui s'étendait d'avril à décembre 1998. Elles étaient signées « Nathan » et adressées à une femme mystérieuse dont on ne connaissait pas le nom. La plupart débutaient par « Mon amour », mais sur l'une d'entre elles, Fawles faisait référence à la lettre « S. » comme étant l'initiale de son prénom.

Plusieurs fois, je m'étais arrêté dans ma lecture. Pouvais-je en toute impunité prendre connaissance de ces lettres et pénétrer ainsi dans l'intimité de Fawles sans y avoir été autorisé ? Tout en moi criait que non, je n'en avais pas le droit. Mais ce dilemme moral n'avait pas tenu devant ma curiosité et l'impression de lire un document aussi unique que fascinant.

À la fois littéraire et sentimentale, cette correspondance dessinait le portrait d'un homme follement amoureux et celui d'une femme sensible, incandescente et pleine de vie. Une femme dont Fawles était à l'époque manifestement séparé, sans que la lecture me renseigne sur les obstacles qui empêchaient les amants de se voir plus souvent.

Considérées dans leur ensemble, les lettres formaient une œuvre d'art hybride, mélange d'échange épistolaire classique, de poésie et de récits illustrés par de petites aquarelles magnifiques réalisées avec des nuances de couleur ocre. Ce n'était pas une véritable conversation. Pas le genre de lettres dans lesquelles on se racontait sa journée ou ce qu'on avait mangé au dernier repas. C'était une sorte d'hymne à la vie et à la nécessité d'aimer, malgré la douleur de l'absence, la folie du monde et la guerre. Ce thème de la guerre imprégnait tous les écrits : la lutte, les déchirements, l'oppression, mais il n'était pas évident de saisir si Fawles faisait référence à un conflit armé en cours ou s'il filait une métaphore.

Du côté du style, le texte était truffé de fulgurances, de figures de style audacieuses, d'allusions bibliques. Il révélait une nouvelle facette du talent de Fawles. La musicalité me rappelait Aragon et certains poèmes à Elsa Triolet, ou Apollinaire « sur le front de l'armée ». L'intensité de certains passages me faisait penser aux *Lettres portugaises*. La perfection formelle me fit même me demander si ces lettres n'étaient pas un pur exercice littéraire. Cette S. avait-elle réellement existé ou n'était-elle qu'un symbole ? L'incarnation de l'objet d'un amour. Quelque chose d'universel qui parlait à tous les amoureux.

Une deuxième lecture avait chassé cette impression. Non, tout dans ce texte transpirait la sincérité, l'intimité, la fièvre, l'espoir, les projets d'avenir. Même si ces élans étaient aussi voilés par une menace potentielle qui planait entre certaines lignes.

À la troisième lecture, j'avançai une autre hypothèse : S. était malade. Cette guerre, c'était celle que menait une femme contre la maladie. Mais la nature et les éléments météorologiques jouaient aussi un rôle important dans les lettres. Les paysages étaient contrastés, à la fois précis et poétiques. Fawles était associé au soleil et à la lumière du Sud ou au ciel métallique new-yorkais. S. était associée à quelque chose de plus triste. Des montagnes, un ciel de plomb, des températures glaciales, une « nuit précoce qui s'abat sur le territoire des loups ».

Je regardai l'heure sur mon téléphone. J'avais négocié ma matinée avec Audibert, mais je devais reprendre mon poste à 14 heures. Je parcourus les lettres une dernière fois dans l'ordre chronologique et une question s'imposa : y avait-il eu d'autres missives ou un événement avait-il mis fin brutalement à cette attirance physique et intellectuelle ? Surtout, je me demandais quelle femme avait pu inspirer à Fawles des sentiments aussi passionnés. J'avais à peu près tout lu sur lui, mais même lorsque Fawles parlait encore aux médias, il n'avait jamais lâché grand-chose sur sa vie privée. Une idée me vint soudain : et si Fawles était homo ? Et si S. – *l'ange aux cheveux d'or* que décrivaient les missives – était un homme ? Mais non, cette hypothèse ne résistait pas aux nombreux accords de grammaire qui renvoyaient au féminin.

Mon téléphone vibra sur la table et une pastille flasha sur l'écran, signalant une série de tweets de Lafaury. Il balançait de nouvelles infos refilées par ses sources. Après avoir fait le lien entre Apolline et Karim, les enquêteurs avaient poussé leurs investigations du côté de l'Essonne pour interroger l'ancien dealer. Des flics de la police judiciaire de l'antenne d'Évry avaient débarqué chez lui, dans le quartier des Épinettes. Non seulement Karim n'était pas là, mais ses voisins assuraient qu'ils n'avaient plus de nouvelle de lui depuis bientôt deux mois. Les employés de son garage non plus, mais comme aucun d'eux n'aimait beaucoup les flics, personne n'avait signalé sa disparition. Le dernier tweet de Lafaury révélait que, lors de la perquisition, d'abondantes traces de sang avaient été trouvées dans le logement. Des analyses étaient en cours.

Je gardai cette info anxiogène dans un coin de ma tête pour revenir aux lettres de Fawles. Je les rangeai avec précaution dans la poche de mon blouson avant de me lever pour rejoindre la librairie. Mon effraction chez Mathilde Monney avait été fructueuse. Désormais, j'avais en ma possession un élément biographique que j'étais l'un des rares à connaître. La révélation de ces documents extraordinaires écrits par un écrivain mythique serait sans l'ombre d'un doute un coup de tonnerre dans le monde de l'édition. À la fin des années 1990, un peu avant qu'il annonce son retrait définitif de la scène littéraire, Nathan Fawles avait vécu une passion, un amour qui emportait et consumait tout sur son passage. Mais un événement inconnu et redouté avait mis fin à cette relation et brisé le cœur de l'écrivain. Depuis, Fawles avait mis sa vie entre parenthèses, arrêté d'écrire et sans doute barricadé son cœur à jamais.

Tout laissait penser que cette femme, *l'ange aux cheveux d'or*, était la clé qui menait au secret de Fawles. La face cachée de son obscurité.

Son *rosebud*.

Était-ce pour récupérer ces lettres et préserver son secret que Fawles m'avait demandé d'enquêter sur Mathilde ? Comment la journaliste était-elle entrée en possession de cette correspondance ? Et, surtout, pourquoi la cachait-elle derrière une plinthe, comme on cache des billets ou de la drogue ?

2.

— Nathan ! Nathan ! Réveillez-vous !

Il était 9 heures du soir. *La Croix du Sud* était plongée dans le noir le plus complet. Après avoir sonné pendant dix minutes sans obtenir de réponse, je m'étais décidé à escalader le mur d'enceinte. J'avais avancé presque à tâtons dans la nuit sans oser allumer la torche de mon téléphone. Je n'en menais pas large. Je pensais que le golden retriever allait me sauter dessus – et j'avais déjà eu mon compte avec les chiens pour aujourd'hui –, mais le vieux Bronco m'avait plutôt accueilli en sauveur, me guidant jusqu'à son maître qui gisait sur le sol de la terrasse. Écroulé sur les dalles en pierre, l'écrivain s'était recroquevillé en position fœtale, une bouteille vide de whisky à ses côtés.

Visiblement, Fawles avait pris une cuite sévère.

— Nathan ! Nathan ! criai-je en le secouant.

J'allumai toutes les lumières extérieures. Puis je revins à son chevet. Sa respiration était lourde et saccadée. Lentement, je réussis à lui faire reprendre connaissance, bien aidé par Bronco qui lui bavait sur la figure.

Fawles finit par se mettre debout.

— Vous allez bien ?

— Ça va, assura-t-il en essuyant son visage avec son avant-bras. Qu'est-ce que tu fous là ?

— J'ai des infos pour vous.

Il se massa les tempes et les paupières.

— Putain de migraine.

Je ramassai la bouteille vide.

— Pas étonnant après ce que vous vous êtes enfilé.

C'était du Bara No Niwa, une distillerie japonaise mythique qui apparaissait dans tous les romans de Fawles. La marque avait arrêté sa production dans les années 1980. Depuis, la rareté des flacons restants avait rendu leur prix stratosphérique. Quel gâchis de se soûler la gueule avec un nectar pareil !

— Dis-moi ce que tu as trouvé chez la journaliste.

— Vous feriez mieux d'aller prendre une douche d'abord.

Il ouvrit la bouche pour me répondre d'aller me faire foutre, mais la raison l'emporta.

— T'as peut-être pas tort.

Je profitai de son passage dans la salle de bains pour explorer le salon. Je n'en revenais toujours pas d'évoluer dans l'intimité de Fawles. Comme si tout ce qui se rapportait à lui avait une dimension solennelle. Entre la caverne d'Ali Baba et celle de Platon, *La Croix du Sud* avait pour moi une aura impénétrable et mystérieuse.

La première fois que j'étais venu ici, j'avais été marqué par l'absence de photos, de souvenirs, de toutes ces choses qui ancrent un endroit dans le passé. La maison n'était pas froide, loin de là, mais elle était un peu impersonnelle. Seule fantaisie, la reproduction en modèle réduit d'une voiture de sport. Une Porsche 911 gris argent striée de bandes bleues et rouges. J'avais lu dans un journal américain que Fawles avait possédé une voiture identique dans les années 1990. Un modèle unique que le constructeur allemand avait fabriqué sur mesure en 1975 pour le chef d'orchestre Herbert von Karajan.

Après le salon, j'investis la cuisine et ouvris le frigo et les placards. Je préparai du thé, une omelette, des toasts grillés et une salade verte. En même temps, j'essayai de consulter mon téléphone pour avoir des nouvelles de l'enquête, mais toutes les bandes de signal du réseau étaient désespérément plates.

Sur le plan de travail, à côté des plaques de cuisson, je repérai un antique poste à transistor comme en avait mon grand-père. J'allumai la radio, branchée sur de la musique classique, et tournai la molette en plastique pour essayer de capter une station d'informations. Je tombai malheureusement sur la fin du journal de 21 heures de RTL. J'étais en train de galérer pour trouver France Info lorsque Fawles entra dans la pièce.

Il s'était changé – chemise blanche, jean, petites lunettes en écaille –, avait rajeuni de dix ans et paraissait reposé comme s'il venait de dormir huit heures.

— À votre âge, vous devriez y aller mollo sur la bouteille.

— Ta gueule.

D'un signe de la tête, il me remercia néanmoins d'avoir préparé le dîner. Il sortit deux assiettes et des couverts qu'il dressa face à face sur le comptoir.

« Nouveaux éléments dans l'affaire du meurtre de l'île Beaumont… », annonça la radio.

Nous nous rapprochâmes du poste. Il y avait en fait deux nouvelles. Et la première était sidérante. Grâce à une dénonciation anonyme, la PJ d'Évry venait de retrouver le cadavre de Karim Amrani quelque part dans la forêt de Sénart. L'état de décomposition du cadavre indiquait une mort déjà ancienne. Le meurtre d'Apolline Chapuis devenait tout à coup une affaire beaucoup plus complexe. Mais dans la logique médiatique, elle allait paradoxalement perdre sa singularité pour être rattachée à un ensemble plus vaste et moins exotique (le milieu du banditisme, la banlieue parisienne…). En se délocalisant de cette façon, l'affaire de l'île Beaumont devenait, du moins provisoirement, l'affaire Amrani.

La deuxième information allait dans ce sens : le préfet maritime venait enfin de décider la levée du blocus de l'île. Une décision qui, selon France Info, serait effective dès le lendemain matin à 7 heures. Fawles ne parut pas particulièrement affecté par ces nouvelles. La crise qui l'avait plongé dans l'ivresse était passée. Il mangea sa part d'omelette tout en me racontant sa conversation de l'après-midi avec Mathilde. J'étais passionné par ce qu'il me disait. J'étais trop jeune pour avoir un quelconque souvenir de l'affaire Verneuil, mais il me semblait en avoir déjà entendu parler dans l'une de ces émissions de radio ou de télé qui revenaient sur des faits divers célèbres. Égoïstement, j'y voyais une formidable matière romanesque, sans comprendre ce qui avait pu bouleverser Fawles à ce point.

— C'est ça qui vous a mis dans cet état ?

— De quel état tu parles ?

— De celui dans lequel vous étiez après vous être torché au whisky tout l'après-midi.

— Au lieu de parler de ce qui te dépasse, dis-moi ce que tu as appris chez Mathilde Monney.

3.

Prudemment, je commençai par lui raconter l'enquête que semblait mener Mathilde, d'abord sur Karim Amrani puis sur lui-même. Lorsque j'évoquai l'histoire des chaussures, il sembla réellement tomber des nues.

— Cette fille est dingue... C'est tout ce que tu as trouvé ?

— Non, mais je crains que la suite ne vous plaise pas.

J'avais piqué sa curiosité, mais ça ne me procurait aucun plaisir tant je savais qu'il allait avoir de la peine.

— Mathilde Monney avait des lettres en sa possession.

— Quelles lettres ?

— Des lettres de vous.

— Je ne lui ai jamais écrit la moindre lettre !

— Non, Nathan. Des lettres que vous avez écrites à une autre femme il y a vingt ans.

Je sortis le paquet de missives de la poche de mon blouson et les posai devant lui à côté des assiettes.

D'abord, il regarda les feuilles sans être capable d'appréhender totalement leur réalité. Il lui fallut un temps pour oser les déplier. Puis un temps encore plus long pour entamer la lecture des premières lignes. Son visage était lugubre. C'était plus que de la stupéfaction. C'était réellement comme si Fawles venait de voir entrer un spectre. Peu à peu, il réussit à endiguer ce bouleversement et à reprendre un semblant de contenance.

— Tu les as lues ?

— Désolé, mais oui. Et je ne le regrette pas. Elles sont sublimes. Tellement d'ailleurs que vous devriez autoriser leur publication.

— Je crois qu'il vaut mieux que tu t'en ailles, Raphaël. Merci pour ce que tu as fait.

Sa voix était d'outre-tombe. Il se leva pour me raccompagner, mais n'alla même pas jusqu'à la porte et me congédia d'un signe vague de la main. Depuis le seuil, je le regardai avancer d'un pas pesant vers le bar et se servir une nouvelle rasade de whisky avant d'aller s'asseoir dans son fauteuil. Puis son regard se troubla et son esprit partit ailleurs, dans le maquis labyrinthique du passé et la douleur des souvenirs. Je ne pouvais pas laisser faire ça.

— Attendez, Nathan. Vous avez assez bu pour ce soir ! dis-je en revenant sur mes pas.

Je me plantai devant lui et lui retirai son verre.

— Fous-moi la paix !

— Essayez de comprendre ce qui s'est passé plutôt que de fuir dans l'alcool.

Peu habitué à ce qu'on lui dicte sa conduite, Fawles chercha à m'arracher le verre des mains. Comme je résistais, le récipient nous échappa et explosa sur le sol.

On se regarda comme deux idiots. On n'avait pas l'air con...

Refusant de perdre la face, Fawles prit sa bouteille de whisky et en but une lampée directement au goulot.

Il fit quelques pas pour ouvrir la porte de la baie vitrée à Bronco et en profita pour sortir sur la terrasse et s'asseoir dans un fauteuil en osier.

— Comment Mathilde Monney a-t-elle pu récupérer ces lettres ? C'est impensable, s'interrogea-t-il à voix haute.

Sur son visage, la stupéfaction avait laissé place à l'inquiétude.

— Qui est cette femme à qui vous écriviez, Nathan ? demandai-je en le rejoignant dehors. Qui est S. ?

— Une femme que j'ai aimée.

— Ça, je m'en doute, mais qu'est-elle devenue ?

— Elle est morte.

— Je suis désolé, vraiment.

Je m'assis dans l'un des fauteuils à côté de lui.

— Elle a été froidement assassinée il y a vingt ans.

— Par qui ?

— Un salaud de la pire espèce.

— C'est pour ça que vous avez arrêté d'écrire ?

— Oui, comme j'ai commencé à te l'expliquer ce matin. J'ai été brisé par le chagrin. J'ai arrêté parce que je n'étais plus capable de trouver cette unité de l'esprit nécessaire à l'écriture.

Il regarda l'horizon, donnant l'impression d'y chercher des réponses. La nuit, lorsque la surface de l'eau brillait sous la lune pleine, l'endroit était encore plus féerique. On avait vraiment le sentiment d'être seul sur terre.

— C'était une erreur d'arrêter d'écrire, reprit-il comme s'il venait d'avoir une révélation soudaine. L'écriture structure ta vie et tes idées, elle finit souvent par mettre de l'ordre dans le chaos de l'existence.

Une question me trottait dans la tête depuis un moment.

— Pourquoi vous n'avez jamais quitté cette maison ?

Fawles poussa un long soupir.

— C'est pour cette femme que j'avais acheté *La Croix du Sud*. Elle était tombée amoureuse de l'île en même temps qu'elle tombait amoureuse de moi. Rester ici, c'était rester avec elle, sans doute.

Mille questions me brûlaient la langue, mais Fawles ne me laissa pas l'occasion de les poser.

— Je vais te ramener en voiture, dit-il en se levant d'un bond.

— C'est inutile, j'ai mon scooter. Allez plutôt vous reposer.

— Comme tu veux. Écoute-moi, Raphaël, il faut que tu continues à creuser les motivations de Mathilde Monney. Je ne peux pas t'expliquer pourquoi, mais je sens qu'elle ment. Quelque chose nous échappe.

Il me tendit sa bouteille de Bara No Niwa – qui devait coûter l'équivalent d'un an de mon loyer – et j'en pris au goulot une lampée pour la route.

— Pourquoi vous ne me racontez pas tout ?

— Parce que je ne connais pas encore toute la vérité. Et parce que l'ignorance est une sorte de bouclier.

— C'est vous qui me dites ça ? Que l'ignorance vaut mieux que la connaissance ?

— Ce n'est pas ce que j'ai dit et tu le sais très bien, mais crois-en mon expérience : parfois, mieux vaut ne pas savoir.

9

La mort des nôtres

Les blessures de l'existence sont incurables, on ne cesse de les décrire dans l'espoir de parvenir à bâtir une histoire qui en rende définitivement compte.

Elena Ferrante

Jeudi 11 octobre 2018

1.

Il était 6 heures du matin. Le jour n'était pas encore levé, mais j'ouvris en grand la porte de la librairie pour renouveler l'air de la boutique. Près du bureau, j'inspectai le fond de la boîte en ferraille qui contenait du café moulu. Elle était vide. Il faut dire que j'avais bu une dizaine de tasses au cours de ma nuit studieuse. La vieille imprimante d'Audibert était aussi sur le point de rendre l'âme. J'avais utilisé la dernière cartouche d'encre de la réserve pour garder une trace écrite de mes découvertes les plus importantes. Puis j'avais épinglé les documents et les photos sur le grand panneau de liège du magasin.

Toute la nuit, j'avais erré de site en site à la recherche d'informations sur le meurtre des Verneuil. J'avais compulsé les archives en ligne des grands journaux, téléchargé quelques livres numériques et écouté des extraits d'une dizaine de podcasts. On attrapait vite le virus de l'affaire Verneuil. L'histoire était aussi tragique que passionnante. Au départ, j'avais cru pouvoir me forger une intime conviction rapidement, mais après une nuit d'immersion, j'étais toujours aussi déconcerté. Plusieurs choses rendaient le fait divers perturbant. L'une d'entre elles était que l'on n'avait jamais identifié le ou les assassins des Verneuil. L'affaire n'était pourtant pas un obscur *cold case* provincial des années 1970, mais un véritable carnage qui s'était déroulé à Paris intra-muros, au tournant du XXIe siècle. Un massacre qui concernait la famille d'une personne publique et dont l'enquête avait été menée par la crème des flics de France. On était plus proche de Tarantino que de Claude Chabrol.

J'avais fait le calcul : j'avais six ans à l'époque des faits, donc aucun souvenir d'avoir suivi l'affaire aux infos. Mais j'étais sûr d'en avoir entendu vaguement parler par la suite, peut-être pendant mes études ou plus sûrement dans un numéro de *Faites entrer l'accusé* ou de *L'Heure du crime.*

Né en 1954 à Arcueil, médecin de formation spécialisé en chirurgie viscérale, Alexandre Verneuil avait commencé à développer sa conscience politique au lycée, dans le prolongement de Mai 68, avant de se rapprocher des jeunes rocardiens et d'adhérer au Parti socialiste. Une fois ses études terminées, il avait travaillé à la Salpêtrière puis à l'hôpital Cochin. Son engagement politique s'était mué en engagement humanitaire. Son parcours ressemblait à celui de plusieurs personnalités de cette époque qui avaient évolué au confluent de la société civile, de l'humanitaire et du monde politique. Avec Médecins du monde ou la Croix-Rouge française, on retrouvait Alexandre Verneuil sur la plupart des théâtres de guerre des années 1980 et 1990 : l'Éthiopie, l'Afghanistan, la Somalie, le Rwanda, la Bosnie... Après la victoire des socialistes aux législatives de 1997, il avait été nommé conseiller à la santé au cabinet du secrétariat d'État à la Coopération, mais il n'avait occupé ce poste que quelques mois, préférant retourner sur le terrain, notamment au Kosovo. Rentré en France à la fin de l'année 1999, il était devenu directeur de l'École de chirurgie de l'AP-HP. Parallèlement à ses activités médicales, il avait écrit plusieurs livres réputés sérieux sur des thèmes comme la bioéthique, le droit d'ingérence et l'exclusion sociale. Figure respectée de l'humanitaire, Verneuil était aussi un très bon client des médias, qui raffolaient de son côté baroudeur et de son éloquence.

2.

Le drame s'était noué dans la soirée du 11 juin 2000, le jour du premier match de l'équipe de France de football, lors du Championnat d'Europe. Ce soir-là, Verneuil et sa femme Sofia – une chirurgienne-dentiste dont le cabinet de la rue du Rocher était l'un des plus prospères de Paris – fêtaient les onze ans de leur fils Théo. La famille habitait un bel appartement dans le XVIe arrondissement, boulevard de Beauséjour, au deuxième étage d'un immeuble des années 1930 qui offrait de belles vues sur la tour Eiffel et le jardin du Ranelagh. D'emblée, les photos du gamin que j'avais vues sur internet m'avaient perturbé, car il me faisait penser à moi à son âge : bouille joviale, dents de la chance, tignasse blonde et lunettes rondes colorées.

Dix-huit ans après les faits, l'enchaînement des événements était encore sujet à controverse. De quoi était-on sûr ? Qu'autour de minuit et quart, des flics de la brigade anticriminalité (la BAC 75 N), appelés par un voisin de l'immeuble mitoyen, avaient débarqué chez les Verneuil. La porte de l'appartement était ouverte. Près de l'entrée, ils avaient enjambé le cadavre d'Alexandre Verneuil, gisant sur le sol, le visage presque arraché par un coup de feu tiré à bout portant. Sa femme, Sofia, avait été abattue un peu plus loin, au seuil de la cuisine, d'une balle en plein cœur. Quant au jeune Théo, il avait été exécuté d'une balle dans le dos et s'était écroulé dans le couloir. L'horreur à l'état brut.

À quelle heure avait eu lieu le carnage ? Sans doute vers 23 h 45. À 23 h 30, Alexandre avait appelé son père au téléphone pour débriefer le match de foot (victoire 3-0 de l'équipe de France de la génération Zidane contre le Danemark). Il avait raccroché à 23 h 38. L'alerte donnée par le voisin était intervenue vingt minutes plus tard. De son propre aveu, celui-ci avait tardé à prévenir la police car, pensait-il, le contexte festif lié à la célébration du match lui avait peut-être fait confondre des coups de feu avec des pétards.

L'enquête n'avait pas été menée par-dessus la jambe. Alexandre était le fils de Patrice Verneuil, un ancien

« grand flic » qui avait codirigé la PJ parisienne et qui, à l'époque, était encore haut fonctionnaire au ministère de l'Intérieur. Les investigations n'avaient pas abouti à grand-chose. Elles avaient mis en évidence qu'un cambriolage avait eu lieu cette même nuit au troisième et dernier étage de l'immeuble, chez des retraités qui se trouvaient dans le sud de la France au moment des faits. Elles avaient aussi constaté la disparition des bijoux de Sofia Verneuil et de la collection de montres de son mari (membre décomplexé de la « gauche Rolex », le médecin possédait des garde-temps de grande valeur, dont un modèle Panda « Paul Newman », estimé à plus de 500 000 francs).

L'entrée de l'immeuble était équipée d'une caméra de surveillance, mais son exploitation n'avait pas été possible, car l'objectif de l'appareil avait été déplacé pour ne plus filmer que le mur du hall, sans que l'on sache avec certitude si cela était volontaire ou accidentel – ni si cela remontait à quelques heures ou à plusieurs jours. La balistique avait identifié l'arme qui avait servi au massacre : un fusil à pompe à canon rayé qui tirait des cartouches de calibre 12 (les plus courantes), mais qui n'avait pas été retrouvé. L'analyse des douilles n'avait pas permis non plus de les rattacher à une arme enregistrée dans une autre affaire.

Idem pour les traces ADN, qui appartenaient à la famille ou ne correspondaient à aucun des profils recensés dans les bases de données. Et ce fut tout. Ou à peu près.

En compulsant ces documents, j'avais pris conscience d'être l'une des premières personnes à pouvoir revenir sur l'affaire en y reliant le rôle potentiel d'Apolline Chapuis et de Karim Amrani. Dès lors, un scénario imparable s'écrivait à l'encre noire : les deux malfrats avaient d'abord cambriolé l'appartement vide des retraités du troisième étage avant de descendre visiter celui d'en dessous. Peut-être pensaient-ils que toute la famille serait absente. Mais Verneuil les avait surpris. Pris de panique, Karim ou Apolline avait ouvert le feu – un cadavre, deux cadavres, trois cadavres – avant de piquer les montres, les bijoux et l'appareil photo.

L'hypothèse tenait la route. Tous les articles que j'avais lus sur les «*Bonnie and Clyde* de Stalingrad» indiquaient que Karim était violent. Il n'avait pas hésité à tirer sur le gérant du bar PMU, avec un pistolet d'alarme, certes, mais le pauvre type avait tout de même perdu un œil dans l'histoire.

Je m'étirai sur mon siège et poussai un bâillement. Avant d'aller prendre une douche, il me restait un podcast à écouter : *Affaires sensibles,* une émission diffusée sur France Inter, avait consacré un de ses numéros à l'affaire Verneuil. J'essayai de lancer le programme sur mon ordinateur, mais le lecteur tournait dans le vide.

Merde, internet foire encore...

C'était un problème récurrent dans la maison. Il fallait fréquemment monter à l'étage et relancer la box. Le problème, c'est qu'il était tout juste 6 heures du matin et que je ne voulais pas réveiller Audibert. Je décidai néanmoins de prendre le risque et je gravis l'escalier à pas de loup. Le libraire dormait la porte entrouverte. Dans le salon, j'allumai la torche de mon téléphone et je fis mon possible pour me glisser sans bruit jusqu'au buffet où était posé le boîtier internet. J'éteignis et rallumai l'installation, puis je battis en retraite en essayant de ne pas faire grincer le parquet.

Un frisson. J'étais déjà venu ici de nombreuses fois, mais bizarrement, dans la semi-obscurité, la pièce m'apparaissait sous un jour nouveau. Je braquai ma torche sur les étagères de la bibliothèque. À côté des Pléiade et des reliures Bonet-Prassinos se trouvaient plusieurs cadres en bois. Intuition ? Instinct ? Curiosité ? Je me rapprochai pour contempler les photos de famille. En premier rideau, des clichés d'Audibert et de sa femme Anita qui, il me l'avait dit dès notre première conversation, était morte d'un cancer deux ans plus tôt. On voyait le couple aux différents âges de la vie. Mariage au milieu des années 1960, puis très vite un bébé dans les bras qui se transformait en préadolescente boudeuse sur une autre photo. Début des années 1980, le couple posait, tout sourires, devant le capot d'une Citroën BX ; un voyage en Grèce dix ans plus tard, un autre à New York avant la chute des tours. Les jours heureux dont on ne mesure la valeur qu'une fois qu'ils ont disparu. Mais ce furent les deux derniers cadres qui me glacèrent le sang. Deux photos de famille sur lesquelles je reconnus d'autres visages.

Ceux d'Alexandre, Sofia et Théo Verneuil.

Et celui de Mathilde Monney.

3.

La sonnerie du téléphone tira Nathan Fawles d'un sommeil haché et tourmenté. Il s'était endormi dans son fauteuil avec Bronco à ses pieds. L'écrivain bâilla, se mit debout avec difficulté et se traîna jusqu'à l'appareil.

— Oui ?

Sa voix était éteinte, comme si ses cordes vocales avaient rouillé pendant la nuit. Son cou était engourdi, ankylosé, lui donnant l'impression que le moindre mouvement allait faire grincer sa carcasse.

C'était Sabina Benoit, l'ancienne directrice de la médiathèque de la Maison des adolescents.

— Nathan, je sais qu'il est tôt, mais comme vous m'avez demandé de vous appeler dès que j'aurais l'info…

— Vous avez bien fait, répondit Fawles.

— J'ai pu obtenir la liste des élèves qui ont assisté à votre conférence. En fait, vous êtes venu pour deux interventions, l'une le 20 mars 1998, l'autre le 24 juin de la même année.

— Et donc ?

— Il n'y avait aucune Mathilde Monney parmi les participantes.

Fawles soupira en se massant les paupières. Pourquoi la journaliste lui aurait-elle menti sur ce point ?

— La seule Mathilde qui était là s'appelait Mathilde Verneuil.

Le sang de Fawles se glaça.

— C'était la fille du pauvre docteur Verneuil, poursuivit la bibliothécaire. Je me souviens bien d'elle : jolie, réservée, sensible, intelligente… Qui aurait pu prévoir à l'époque le drame qui allait s'abattre sur elle…

4.

Mathilde était la fille d'Alexandre Verneuil et la petite-fille de Grégoire Audibert ! Saisi par cette révélation, je demeurai une bonne minute debout, immobile dans la nuit. Interdit. Atomisé. Figé par la chair de poule.

Je ne pouvais pas en rester là. Sur les dernières étagères de la bibliothèque, je trouvai des albums photo. Quatre gros volumes, aux couvertures en tissu, classés par grandes décennies. Je m'assis en tailleur sur le sol et, à la lumière de ma torche, commençai à les feuilleter, regardant les images, survolant leurs annotations. L'essentiel de ce que j'y appris tenait en quelques dates. Grégoire et Anita Audibert avaient eu une fille unique, Sofia, née en 1962, qui avait épousé Alexandre Verneuil en 1982. De leur union étaient nés Mathilde et Théo qui, pendant leur enfance, étaient venus fréquemment en vacances sur l'île Beaumont.

Comment Fawles et moi avions-nous pu rater ça ? Il ne m'avait pas semblé que les articles que j'avais lus évoquaient l'existence de Mathilde. Comme j'avais mon téléphone en main, je lançai une vérification en tapant des mots-clés sur Google. En accès libre, un article de *L'Express* de juillet 2000 mentionnait qu'« âgée de seize ans, la fille aînée de la famille n'était pas à Paris le soir du drame, car elle révisait son bac de français chez une amie en Normandie ».

Une foule d'hypothèses se bousculaient dans ma tête. Je sentais que je venais de faire un pas décisif dans l'enquête, mais l'ensemble des conséquences de ce que j'avais découvert m'échappait encore. J'hésitais à battre en retraite. D'où je me trouvais, je percevais le ronflement régulier d'Audibert qui dormait dans la pièce à côté. Peut-être avais-je déjà poussé ma chance au maximum. Mais peut-être aussi me restait-il des secrets à déterrer. Je risquai un coup d'œil dans la chambre du libraire. C'était un intérieur ascétique, presque monacal. Près du lit, sur un petit bureau collé au mur, un ordinateur portable était la seule concession à la modernité. L'excitation me fit oublier la prudence et tenter le diable. Il *fallait* que j'en sache davantage. Je m'approchai du secrétaire et, presque malgré moi, sentis ma main se refermer sur l'ordinateur.

5.

Une fois de retour au rez-de-chaussée, je me dépêchai d'exploiter le contenu de la bécane. Audibert n'était certes pas au fait des dernières technologies, mais il n'était pas aussi largué qu'il aimait le faire croire. Son ordi était un bon vieux notebook VAIO de la fin des années 2000. J'en étais quasi certain : le mot de passe pour le déverrouiller devait être le même que celui du PC de la librairie. Je tentai le coup pour constater que… c'était bien le cas.

Le disque dur était presque vide. Je ne savais pas du tout ce que je cherchais, mais j'avais à présent la conviction qu'il y avait d'autres informations à trouver. Dans les rares dossiers du bureau dormaient une version non mise à jour de la comptabilité de la librairie, quelques factures, une carte topographique de Beaumont et des fichiers PDF d'articles de journaux concernant le passé criminel d'Apolline Chapuis et de Karim Amrani. Rien de neuf, je les avais déjà lus. Ça montrait seulement qu'Audibert avait procédé aux mêmes recherches que moi. J'hésitai à fouiller dans les mails ou les messages du libraire. Audibert n'avait pas de page Facebook personnelle, mais il en avait créé une de la librairie qui n'avait pas été alimentée depuis plus d'un an. Quant à la bibliothèque de photos du PC, elle n'était pas très fournie, mais elle abritait trois albums dont le contenu allait se révéler explosif.

D'abord, de nombreuses copies d'écran du site d'Apolline Chapuis puis, dans un autre dossier, les

photos prises au téléobjectif de Karim Amrani déam-
bulant à Évry. Les mêmes que celles que j'avais
trouvées dans la chambre de Mathilde. Mais je n'étais
pas au bout de mes surprises, car le dernier dossier
contenait d'autres clichés. D'abord, je crus qu'il s'agissait de ceux que Mathilde avait montrés à Fawles :
le voyage à Hawaï des deux délinquants et la soirée
d'anniversaire de Théo Verneuil. Mais visiblement,
Mathilde n'avait montré à l'écrivain qu'une partie des
photos de cette soirée. D'autres images apportaient en
effet la preuve que la jeune fille était bien présente à
l'anniversaire de son frère, le fameux soir où sa famille
avait été tuée.

Mes yeux piquaient, ma tête bourdonnait et je
sentais le sang cogner à mes tempes. Comment cette
information avait-elle pu échapper aux enquêteurs ?
J'étais saisi par une drôle d'angoisse, incapable de
détacher mon regard de l'écran qui me brûlait les
paupières. À seize ans, Mathilde apparaissait sur
les photos comme une jolie fille un peu fragile, l'esprit
ailleurs, le sourire forcé et le regard mélancolique et
fuyant.

Les hypothèses les plus tordues traversèrent mon
esprit. La plus tragique étant que Mathilde avait peut-
être assassiné sa famille. La dernière photo de l'album

numérique me révéla une autre surprise. Elle était datée du 3 mai 2000 – sans doute pendant le pont du 1er mai. On y voyait Mathilde et Théo poser avec leurs grands-parents devant *La Rose Écarlate*.

J'allais refermer l'ordinateur lorsque, par acquit de conscience, je fis un tour dans la corbeille. Elle contenait deux fichiers vidéo que je rapatriai d'abord sur le bureau, puis sur ma clé USB. Je branchai mon casque audio avant de lancer les enregistrements.

Et ce que j'y découvris me glaça le sang.

6.

Assis dans sa cuisine, les coudes posés sur la table, la tête entre les mains, Fawles réfléchissait aux conséquences de ce que lui avait révélé Sabina Benoit. Monney devait être un nom de plume. Mathilde Monney n'était pas suisse et s'appelait en réalité Mathilde Verneuil. Et si la jeune femme était vraiment la fille d'Alexandre Verneuil, tout ce qui s'était passé sur l'île ces derniers jours prenait un sens nouveau.

À cause de son aversion pour les médias, Fawles n'avait rien vu venir. Le fait que Mathilde soit journaliste l'avait troublé et induit en erreur depuis le début. En vérité, Mathilde n'était sur l'île que pour une simple raison : venger le meurtre de sa famille.

L'hypothèse que ce soit elle qui ait tué Karim et Apolline – qu'elle avait identifiés comme étant les meurtriers de ses parents – était désormais très crédible.

Des dizaines d'images, de souvenirs, de sons éraillés traversaient le cerveau de Fawles. Au milieu de ce flot erratique, une image se fixa. L'une des photos de la soirée d'anniversaire que lui avait montrées Mathilde sur le bateau : Verneuil, sa femme et le petit Théo posant sur leur terrasse, avec la tour Eiffel derrière. Une évidence le foudroya : si cette photo en plan américain existait, c'est que quelqu'un l'avait prise. Et il y avait de grandes chances pour que ce quelqu'un soit Mathilde. Elle qui, le soir du massacre, se trouvait sans doute aussi dans l'appartement familial.

Soudain, une nuit polaire s'abattit sur Fawles. Alors, il comprit *tout* et se sentit en très grand danger.

Très vite, il se leva pour rejoindre le salon. Au fond de la pièce, à côté des racks métalliques qui servaient de porte-bûches, se trouvait le meuble taillé dans du bois d'olivier dans lequel il rangeait son fusil. Il ouvrit le placard et constata que l'arme n'était plus à sa place. Quelqu'un s'était emparé du fusil orné du Kuçedra. L'arme maudite, celle de tous les outrages, celle qui était à la source de tous ses malheurs. Il se rappela alors cette vieille règle d'écriture : si un romancier mentionne l'existence d'une arme au début de son récit, alors un coup de feu sera obligatoirement tiré et l'un des protagonistes mourra à la fin de l'histoire.

Comme il croyait aux règles de la fiction, Fawles eut la certitude qu'il allait mourir.

Aujourd'hui même.

7.

Je lançai la première vidéo. D'une durée de cinq minutes, elle avait dû être filmée avec un téléphone portable, dans un lieu qui semblait être une maison ou un pavillon.

— Pitié ! Je ne sais rien... Rien de plus que ce que je vous ai déjà dit !

Les mains reliées par des menottes, les bras maintenus au-dessus de la tête, Karim était couché sur une sorte de table basse inclinée vers le sol.

À son visage tuméfié et à sa bouche en sang, on devinait qu'il venait d'encaisser une pluie de coups. L'homme qui menait son interrogatoire était un grand type que je n'avais jamais vu de ma vie. Cheveux blancs et carrure impressionnante, il portait une chemise à carreaux, une veste Barbour et une casquette en toile écossaise.

Je me rapprochai de l'écran pour mieux le détailler. Quel âge avait-il ? Au moins soixante-quinze ans si j'en croyais les rides de son visage et son allure générale. Avec son ventre énorme, il avait du mal à se déplacer, mais sa force de taureau emportait tout sur son passage.

— Je ne sais rien de plus ! hurla Karim.

Le vieux donnait l'impression de ne pas l'entendre. Il quitta l'écran quelques secondes pour réapparaître avec une serviette-éponge dont il recouvrit le visage de l'ancien dealer. Puis, avec l'application d'un tortionnaire aguerri, il commença à verser de l'eau sur le linge.

La triste technique de torture du *waterbording*.

La vision du film était insupportable. Le vieux continua jusqu'à faire suffoquer Karim. Son corps se tendait, se déformait, se tordait de convulsions. Lorsqu'il retira enfin la serviette, je crus que Karim ne reviendrait pas. Un mélange de bulles, d'écume et de bile sortait de sa bouche, tel un geyser. Il resta un moment inerte, puis finit par vomir avant de murmurer :

— Je... vous ai tout dit, putain...

Le vieux inclina la table basse et chuchota à l'oreille de Karim :

— Eh bien, tu vas recommencer au début.

L'homme était à bout de souffle. La terreur se lisait sur son visage.

— Je ne sais rien d'autre…

— Alors c'est moi qui recommence!

Et le vieux s'empara de nouveau de la serviette-éponge.

— Non! cria Karim.

Tant bien que mal, il reprit son souffle et chercha à rassembler ses idées.

— Cette nuit-là, le 11 juin 2000, Apolline et moi, on est allés dans le XVIe arrondissement, au 39, boulevard de Beauséjour, pour cambrioler les vieux bourges du troisième étage. On avait eu un tuyau solide nous prévenant qu'ils ne seraient pas dans l'appartement.

— Qui t'avait filé ce tuyau?

— Je ne sais plus, ma bande de l'époque. Les viocs étaient censés être blindés, mais la plus grande partie du cash et des bijoux devait être dans un coffre-fort scellé dans le béton. On n'a pas pu l'embarquer.

Il parlait vite, d'un ton monocorde, comme s'il avait déjà raconté cette histoire un nombre incalculable de fois. Sa voix était déformée par son nez cassé, et du sang coulait sur ses paupières fermées par les hématomes.

— On a piqué quelques babioles, des trucs faciles à refourguer. Puis, alors qu'on était sur le point de s'arracher, on a entendu des coups de feu, venant d'en dessous.

— Combien ?

— Trois. Comme on avait les foies, on s'est planqués dans une des chambres. On a attendu un long moment, partagés entre la peur des flics qui n'allaient pas tarder à arriver et la peur de celui qui était en train de faire un carnage au deuxième étage.

— Vous n'avez pas vu de qui il s'agissait ?

— Non ! On se chiait dessus, je vous dis. On a laissé passer plusieurs minutes sans oser descendre. On a bien essayé de se barrer par les toits, mais l'accès était verrouillé. Alors on n'a pas pu faire autrement que de prendre les escaliers.

— Et après ?

— En arrivant au deuxième, Apolline était toujours morte de trouille. Moi, ça allait beaucoup mieux. Je m'étais fait un rail dans la chambre des vieux. J'étais complètement défoncé, limite euphorique. En arrivant devant la porte, j'ai passé une tête dans l'embrasure. C'était une vraie boucherie. Il y avait du sang partout et trois cadavres écroulés sur le sol. Apolline a poussé un hurlement et est partie m'attendre dans le parking souterrain.

— T'inquiète, on va aller l'interroger, ta copine.

— Ce n'est pas ma copine. Ça fait dix-huit ans qu'on ne s'est pas parlé.

— Qu'est-ce que tu as fait, toi, dans l'appartement des Verneuil ?

— Ils étaient tous morts, je vous ai dit. Je suis allé dans le salon puis dans les chambres. Et j'ai piqué tout ce que je pouvais : des montres de luxe, beaucoup de cash, des bijoux, un appareil photo... Puis j'ai rejoint Apolline. On s'est barrés à Hawaï quelques semaines plus tard et c'est là qu'on a perdu ce foutu appareil photo.

— Oui, c'est con, sembla approuver le vieux.

Il poussa un long soupir et envoya soudainement un coup de coude terrible dans les côtes de Karim.

— Le pire, c'est que ce jour-là, ce n'est pas seulement l'appareil photo que tu as perdu : c'est ta vie.

Et il s'acharna sur lui, enragé, ses poings énormes s'abattant avec une force incroyable.

Horrifié, j'avais l'impression que les éclaboussures de sang allaient gicler sur mon visage. Je détournai mon regard de l'écran. Je grelottais comme si j'avais de la fièvre. Je tremblais de tous mes membres. Qui était cet homme capable de tuer à mains nues ? Quelle était la source de la folie qui s'était emparée de lui ?

L'air était glacial. Je me levai pour fermer la porte de la librairie. Pour la première fois de ma vie, je me sentais physiquement en danger de mort. J'hésitai un moment à m'enfuir avec l'ordinateur, mais la curiosité me poussa à retourner derrière le bureau pour lancer la deuxième vidéo.

J'espérais qu'elle serait moins horrible, mais ce ne fut pas le cas. On y voyait une même scène de torture extrême dont l'issue était la mort. Cette fois, c'était Apolline qui tenait le rôle de la victime, et dans le rôle du bourreau, un homme qu'on n'apercevait que de dos. Sanglé dans un imperméable sombre, il semblait plus jeune et moins massif que l'assassin de Karim. Le film était de moins bonne qualité, la faute sans doute au lieu clos, éclairé par une faible lumière. Un réduit sale et glauque où l'on distinguait des murs gris en pierres apparentes.

Ligotée à une chaise, Apolline avait le visage en sang, des dents cassées et un œil salement amoché. Armé d'un tisonnier, son agresseur l'avait sans doute déjà torturée pendant un long moment. Le film était bref et le récit de la Bordelaise donnait l'impression d'enchaîner avec celui de Karim.

— J'étais morte de trouille, je vous dis ! Je ne suis pas entrée dans l'appartement des Verneuil. Je me suis barrée directement dans le parking souterrain pour attendre Karim.

Elle renifla et secoua la tête pour dégager une mèche de cheveux collée par le sang qui lui tombait sur les yeux.

— J'étais persuadée que les flics allaient débouler. Ils auraient même déjà dû être là. Le parking était plongé dans l'obscurité. Je me suis recroquevillée sur moi-même entre un poteau en béton et une camionnette. Mais tout à coup, l'éclairage s'est allumé et une voiture est arrivée du niveau inférieur.

Apolline hoquetait tandis que l'homme au tisonnier l'incitait à continuer.

— C'était une Porsche grise, avec des bandes rouges et bleues. Elle a stationné une bonne trentaine de secondes devant moi, car le portail automatique s'était détraqué et était resté bloqué à mi-hauteur.

— Qui était à l'intérieur de la Porsche ?

— Il y avait deux hommes.

— Deux ? Tu es sûre ?

— Certaine. Je n'ai pas vu le visage du passager, mais l'homme qui était au volant est descendu pour aller décoincer le portillon.

— Tu le connaissais ?

— Pas personnellement, mais j'avais déjà vu une de ses interviews à la télévision. J'avais lu un de ses livres aussi.

— Un de ses livres ?

— Oui, c'était l'écrivain Nathan Fawles.

L'INDICIBLE VÉRITÉ

10

Les écrivains contre le reste du monde

L'unique salut des vaincus est de n'en espérer aucun.

Virgile

1.

C'était l'écrivain Nathan Fawles.

Telles avaient été les dernières paroles d'Apolline avant de mourir. La vidéo se poursuivait encore quelques secondes, la montrant qui sombrait dans le coma, puis succombait sous un dernier coup de tisonnier.

Au-delà de cette révélation proprement dite – qui me plongeait dans une affreuse perplexité –, une question plus urgente me préoccupait : qu'est-ce que ces films foutaient dans l'ordinateur d'Audibert ?

De plus en plus fébrile, malgré l'horreur de la scène, je visionnai à nouveau la vidéo de l'exécution d'Apolline. Cette fois, j'enlevai mon casque pour me concentrer sur le décor. *Ces murs en moellons…* J'en avais vu de semblables en descendant des cartons de livres avec le monte-charge dans le sous-sol de *La Rose Écarlate*. Ou peut-être que je me faisais des idées…

Sur le trousseau de clés de la librairie se trouvaient celles de la cave. J'y avais mis les pieds deux ou trois fois, mais je n'y avais rien remarqué de particulièrement suspect.

Malgré la peur, je décidai d'y refaire un tour. Mais pas question d'utiliser le monte-charge qui faisait un bruit d'enfer. Je sortis dans la petite cour intérieure où la trappe qui permettait d'accéder à la cave ouvrait sur un escalier en bois raide comme une échelle. Dès les premières marches, je fus saisi par une odeur désagréable d'humidité.

Arrivé en bas, j'allumai le néon qui diffusait un éclairage vacillant et ne révéla que des étagères recouvertes de toiles d'araignées et des cartons remplis de livres qui n'allaient pas tarder à moisir. Le tube fluorescent grésilla quelques secondes avant de s'éteindre dans un bruit sec.

Merde…

Je sortis mon téléphone pour m'en servir de torche, mais je me pris les pieds dans un vieil appareil de clim rouillé posé sur le sol. Je tombai sur le béton et roulai dans la poussière.

Bien joué, Rafa...

Je ramassai mon portable et me relevai avant de m'enfoncer dans la pénombre. Toute en longueur, la cave était beaucoup plus grande que ce que je m'étais imaginé. Dans le fond de la pièce, je distinguai le bruit d'une soufflerie, semblable à celui d'un appareil de chauffage ou d'une bouche d'évacuation. Le vrombissement venait d'un entrelacs de tuyaux qui disparaissaient derrièrc trois panneaux de caillebotis dressés contre le mur, empilés les uns sur les autres.

Je me demandais où allaient ces tuyaux. Après m'être acharné contre les treillis une bonne minute, je parvins à les déplacer et découvris un autre accès. Une sorte de panneau métallique mobile qui ressemblait à l'ouverture latérale d'un gigantesque four. La porte était protégée par une serrure, mais la clé se trouvait elle aussi sur l'imposant trousseau du libraire.

La peur au ventre, je m'y engouffrai pour arriver dans une drôle de salle qui abritait un établi de bricoleur et un congélateur-coffre. Sur la table de travail, j'aperçus le tisonnier que j'avais vu dans la vidéo, un marteau rouillé aux angles tranchants, un maillet en bois sombre, des ciseaux de tailleur de pierre...

Un étau se resserra sur ma poitrine. Je tremblais de tous mes membres. Lorsque j'ouvris l'appareil frigorifique, je ne pus retenir un cri. L'intérieur avait été repeint à l'hémoglobine.

Je suis chez les dingues.

Je battis en retraite et remontai comme une fusée dans la cour.

C'était Audibert qui avait torturé à mort Apolline Chapuis, et nul doute qu'il allait me tuer aussi si je ne déguerpissais pas d'ici. De retour à la librairie, j'entendis le parquet couiner à l'étage. Le libraire venait de se lever. D'abord des bruits de pas, puis le grincement des lattes de l'escalier. *Bordel...* En quatrième vitesse, je fourrai l'ordinateur d'Audibert dans mon sac à dos avant de claquer la porte et d'enfourcher mon scooter.

2.

Le ciel était zébré de longues bandes nuageuses trouées par la lumière de l'aube. La route qui longeait le rivage était déserte. Des odeurs d'iode montaient de la mer et se mêlaient à celle des eucalyptus. J'avais mis les gaz – ce qui veut dire que mon bolide, poussé par le vent, atteignait péniblement quarante-cinq kilomètres à l'heure au compteur. Toutes les deux minutes, je jetais des coups d'œil inquiets derrière moi. Jamais je n'avais eu aussi peur de ma vie. J'avais l'impression qu'Audibert pouvait surgir à n'importe quel moment, qu'il allait faire irruption sur la Strada Principale, armé de son tisonnier, pour me régler mon compte.

Que faire? Mon premier réflexe avait été de me réfugier chez Nathan Fawles. Mais je ne pouvais pas feindre d'ignorer ce que j'avais vu sur la vidéo, ces accusations portées à son encontre par Apolline Chapuis.

J'étais une cible facilc à manipuler. J'avais toujours su que Fawles ne me disait pas tout ce qu'il savait sur cette affaire - ct lui-même n'avait jamais cherché à me faire croire le contraire. En allant le trouver, je me jetais peut-être dans la gueule du loup. Je repcnsai au fusil à pompe à canon rayé qu'il gardait à portée de main. Il était bien possible que ce soit l'arme qui avait servi à massacrer les Verneuil. Pendant cinq bonnes minutes, j'eus le sentiment de perdre tous mes repères, puis je me ressaisis. Bien que ma mère m'ait souvent répété de ne faire confiance à personne, j'avais toujours pris l'exact contre-pied de cette injonction. Ma naïveté m'avait joué des tours dans la vie et je m'en étais mordu les doigts, mais j'avais l'intime conviction que perdre cette candeur reviendrait à me perdre moi-même.

Je décidai donc de rester fidèle à ma première intuition : l'homme qui avait écrit *Loreleï Strange* et *Les Foudroyés* ne pouvait pas être un salaud.

Lorsque je débarquai à *La Croix du Sud*, Fawles me donna l'impression d'être debout depuis longtemps. Il était vêtu d'un col roulé sombre et d'une veste en daim tannée. Très calme, il comprit tout de suite qu'il m'était arrivé quelque chose de grave.

— Il faut que vous voyiez ça ! dis-je, sans même lui donner le temps de me réconforter.

Je sortis l'ordinateur d'Audibert de mon sac et lançai les deux vidéos. Fawles les visionna sans laisser transparaître la moindre émotion, même lorsque Apolline cita son nom.

— Tu sais qui sont les deux hommes qui torturent Chapuis et Amrani ?

— Le premier, je n'en ai aucune idée. Le deuxième, c'est Grégoire Audibert. J'ai trouvé dans sa cave le congélateur dans lequel il a planqué le cadavre d'Apolline.

Fawles demeura impassible, mais je le sentais ébranlé.

— Vous saviez que Mathilde était la petite-fille d'Audibert et la fille d'Alexandre Verneuil ?

— Je l'ai appris il y a une heure.

— Nathan, pourquoi Apolline vous accuse-t-elle ?

— Elle ne m'accuse pas. Elle dit simplement qu'elle m'a vu dans une voiture en compagnie d'un autre homme.

— C'était qui ? Dites-moi juste que vous êtes innocent et je vous croirai.

— Ce n'est pas moi qui ai tué les Verneuil, je te le jure.

— Mais vous étiez dans leur appartement ce fameux soir ?

— Oui, j'étais là-bas, mais je ne les ai pas tués.

— Expliquez-moi !

— Un jour, je te raconterai tout en détail, mais pas maintenant.

Soudain nerveux, Fawles triturait un petit boîtier de télécommande – de la taille d'un bip de garage – qu'il venait de sortir de sa poche.

— Pourquoi pas maintenant ?

— Parce que tu es en très grand danger, Raphaël ! On n'est pas dans un roman, là, fiston. Ce ne sont pas des paroles en l'air. Apolline et Karim sont morts et leurs assassins sont toujours en liberté. Pour une raison que j'ignore encore, l'affaire Verneuil revient sur le devant de la scène. Et il ne peut rien sortir de bon d'une telle tragédie.

— Qu'est-ce que vous voulez que je fasse ?

— Tu vas quitter l'île. Tout de suite ! trancha-t-il en regardant sa montre. Le ferry sera rétabli à 8 heures. Je vais t'y conduire.

— Vous êtes sérieux ?

Fawles pointa l'ordinateur du doigt.

— Tu as vu les vidéos comme moi. Ces gens-là sont capables de tout.

— Mais...

— Grouille-toi ! ordonna-t-il en m'attrapant le bras.

Escorté par Bronco, je suivis l'écrivain jusqu'à sa voiture. La Mini Moke – qui avait dû rester plusieurs semaines sans rouler – refusa d'abord de démarrer. Au moment où je crus que Fawles avait noyé le moteur, il insista une dernière fois et le miracle se produisit. Bronco sauta à l'arrière et la décapotable sans portes – que je trouvais d'un inconfort absolu – cahota sur le chemin de terre qui traversait la forêt avant de rejoindre la route.

Le trajet jusqu'au ferry fut pénible. Les timides éclaircies de la pointe du jour avaient rendu les armes devant la grisaille. Désormais, le ciel était encombré de nuages charbonneux, comme si on l'avait repeint avec un mauvais fusain. Le vent aussi s'était levé, projetant ses bourrasques face à notre pauvre pare-brise. Ce n'était pas le vent d'est, humide et doux, ni le mistral familier qui balayait les nuages pour faire place nette au ciel bleu. C'était un vent glacial et cinglant, venu du pôle, qui charriait son lot d'éclairs et de roulements de tonnerre : le mistral noir.

En arrivant sur le port, j'eus l'impression de débarquer dans une ville fantôme. Des nappes de brume planaient sur les pavés. Des rubans nacrés et vaporeux s'entortillaient dans le mobilier urbain et noyaient les coques des bateaux. Une vraie purée de pois. Fawles gara la Mini Moke devant la guérite de la capitainerie et alla lui-même acheter mon billet. Puis il m'accompagna jusqu'au ferry.

— Pourquoi vous ne venez pas avec moi, Nathan ? demandai-je en m'engageant sur la passerelle du bateau. Vous aussi, vous êtes en danger, n'est-ce pas ?

Resté sur le quai avec son chien, il éluda ma proposition en secouant la tête.

— Prends soin de toi, Raphaël.

— Partez avec moi ! l'implorai-je.

— C'est impossible. C'est celui qui a allumé le feu qui doit l'éteindre. Il faut que je mette fin à quelque chose.

— À quoi ?

— Aux ravages de la machine monstrueuse que j'ai mise en branle il y a vingt ans.

Il me salua de la main et je compris que je n'en apprendrais pas plus. Tandis que je le contemplais en train de s'éloigner avec son chien, une chair de poule inattendue et une grande tristesse m'envahirent, car quelque chose me disait que c'était la dernière fois que je voyais Nathan Fawles. Pourtant, il revint brusquement sur ses pas. Il me regarda dans les yeux avec bienveillance et, à ma grande surprise, me tendit le manuscrit corrigé de mon roman qu'il avait roulé pour le faire tenir dans la poche de sa veste de quart.

— Tu sais, *La Timidité des cimes* est un bon roman, Raphaël. Même sans mes corrections, il mérite d'être publié.

— Ce n'est pas ce que pensent les éditeurs qui l'ont lu.

Il secoua la tête et poussa un soupir chargé de mépris :

— Les éditeurs... Les éditeurs sont des gens qui voudraient que tu sois reconnaissant quand ils te disent en deux phrases ce qu'ils pensent de ton livre, alors que tu as trimé deux ans pour le faire tenir debout. Des gens qui déjeunent jusqu'à 15 heures dans les restos de Midtown ou de Saint-Germain-des-Prés pendant que tu te brûles les yeux devant ton écran, mais qui t'appellent tous les jours si tu tardes à signer leur contrat. Des gens qui aimeraient être Max

Perkins ou Gordon Lish, mais qui ne seront jamais qu'eux-mêmes : des gestionnaires de la littérature qui lisent tes textes à travers le prisme d'un tableau Excel. Des gens pour qui tu ne travailles jamais assez vite, qui t'infantilisent, qui savent toujours mieux que toi ce que veulent lire les gens ou ce qui est un bon titre ou une bonne couverture. Des gens qui, une fois que tu auras connu le succès – souvent *malgré* eux –, raconteront partout qu'ils t'ont « fabriqué ». Les mêmes qui disaient à Simenon que Maigret était « d'une écœurante banalité » ou qui ont refusé *Carrie*, *Harry Potter* et *Loreleï Strange*...

Je coupai Fawles dans sa diatribe.

— *Loreleï Strange* a été refusé ?

— Je ne m'en suis pas vanté, mais oui. *Loreleï* a été refusé par quatorze agents et éditeurs. Y compris par celui qui a fini par le publier plus tard, grâce au travail de Jasper Van Wyck. C'est pour ça qu'il ne faut pas accorder trop d'importance à ces gens-là.

— Nathan, une fois que cette histoire sera terminée, vous m'aiderez à publier *La Timidité des cimes* ? Vous m'aiderez à devenir un écrivain ?

Pour la première fois (et la dernière), je vis Fawles sourire franchement, et ce qu'il me dit valida l'impression première que j'avais toujours eue de lui.

— Tu n'as pas besoin de mon aide, Raphaël. Tu *es* *déjà* un écrivain.

Il m'adressa un signe amical en levant le pouce dans ma direction avant de tourner les talons et de rejoindre sa voiture.

3.

Le brouillard était de plus en plus dense. *Le Témé-raire* était plein aux trois quarts, mais j'avais trouvé une place à l'intérieur. À travers la vitre du ferry, je distinguais les derniers passagers qui émergeaient dans la brume pour se presser d'embarquer.

J'étais encore sous le choc de ce que m'avait dit Fawles, mais j'avais aussi un sale goût dans la bouche. Celui de la défaite. Cette impression de déserter le champ de bataille au milieu des combats. J'étais arrivé à Beaumont plein de fougue, sous le soleil triomphant, et je quittais l'île sous la pluie, penaud, effrayé par le danger, au moment où allait s'écrire le dernier acte.

Je pensai à mon deuxième roman, déjà bien entamé. *La vie secrète des écrivains*. Je vivais dans ce roman, j'étais un personnage de ce roman. Le narrateur de l'histoire ne pouvait pas abandonner le théâtre des opérations comme un lâche au moment où l'action s'intensifiait. Une chance comme celle-ci ne se représenterait jamais. Je repensai pourtant à la mise en garde de Fawles. «Tu es en très grand danger, Raphaël! On n'est pas dans un roman, là, fiston.» Sauf que Fawles lui-même ne croyait sans doute pas à ses paroles. Et n'était-ce pas justement ce qu'il m'avait lui-même conseillé: mettre du romanesque dans ma vie – et de la vie dans mon écriture? J'étais accro à ces moments où la fiction contaminait la vie. C'était en partie pour cela que j'aimais autant lire. Pas pour fuir la vie réelle au profit d'un univers imaginaire, mais pour revenir vers le monde transformé par mes lectures. Plus riche de mes voyages et de mes rencontres dans la fiction et désireux de les réinvestir dans le réel. «À quoi servent les livres, s'ils ne ramènent pas vers la vie, s'ils ne parviennent pas à nous y faire boire avec plus d'avidité?» s'interrogeait Henry Miller. Sans doute à pas grand-chose.

Et puis il y avait Nathan Fawles. Mon héros, mon mentor. Celui qui, cinq minutes plus tôt, m'avait adoubé comme l'un des siens. Je ne pouvais pas le laisser seul pour affronter un danger mortel. Je n'étais pas en sucre, putain! Je n'étais pas un enfant. J'étais un écrivain qui allait en aider un autre.

Deux écrivains contre le monde entier...

Au moment où je me levais de la banquette pour regagner le pont, j'aperçus la fourgonnette d'Audibert qui arrivait devant la mairie. Une vieille 4L repeinte en vert canard qu'il m'avait dit avoir rachetée à un fleuriste quelques années plus tôt.

Le libraire arrêta sa voiture en double file devant le bureau de poste et sortit pour déposer un pli dans la boîte aux lettres. Il revint à pas vifs vers l'utilitaire, mais avant de s'installer au volant, il regarda longuement en direction du ferry. Je me dissimulai derrière un poteau métallique en espérant qu'il ne m'avait pas vu. Lorsque je quittai ma cachette, la fourgonnette avait déjà tourné au coin de la rue. Pourtant, il me semblait distinguer ses feux qui clignotaient à travers la brume, comme si la voiture s'était immobilisée.

Que faire ? J'étais tiraillé entre la peur et l'envie de comprendre. Je m'inquiétais également pour Nathan. À présent que je savais de quoi Audibert était capable, avais-je le droit de l'abandonner ? La corne de brume du ferry annonça un départ imminent. *Décide-toi !* Alors que le bateau larguait les amarres, je sautai sur la promenade en bois. Je ne pouvais pas m'enfuir. Partir, c'était déchoir et renoncer à tout ce que je croyais.

Je longeai le promontoire devant la capitainerie, puis traversai la route vers le bureau de poste. La brume était partout. Je suivis le trottoir jusqu'à la rue Mortevielle où avait tourné la bagnole du libraire.

La voie était déserte, noyée dans la mélasse et l'humidité. Plus j'avançais vers la fourgonnette dont les clignotants perçaient le brouillard, plus j'avais l'impression qu'une menace invisible m'encerclait, prête à m'engloutir. Lorsque j'arrivai au niveau de la voiture, je constatai qu'il n'y avait personne au volant.

— C'est moi que tu cherches, scribouillard ?

Je fis volte-face pour découvrir la silhouette d'Audibert, drapée dans son imperméable noir. J'ouvris la bouche pour hurler, mais avant que j'aie pu émettre le moindre son, il abattit sur moi son tisonnier avec toute la force dont il était capable. Un cri d'effroi resta bloqué dans ma gorge.

Et le noir se fit autour de moi.

4.

Il tombait des cordes.

Nathan Fawles était parti si précipitamment que la maison était restée ouverte aux quatre vents. De retour à *La Croix du Sud*, il ne se donna pas la peine de refermer le portail. La menace qu'il avait à affronter n'était pas de celles que l'on pouvait repousser en érigeant des murs ou en se barricadant.

Il sortit sur la terrasse pour bloquer un volet qui battait contre le mur. Avec la pluie et les bourrasques, Beaumont prenait une tout autre allure. On n'était plus en Méditerranée, mais sur une île écossaise frappée par la tempête.

Fawles resta immobile plusieurs minutes, s'abandonnant au martèlement de la pluie tiède. Des images insoutenables l'assaillaient sans relâche. Celles du massacre de la famille Verneuil, celles de la torture de Karim et de la mise à mort d'Apolline. Dans sa tête résonnaient aussi les mots tirés des lettres qu'il avait relues la veille. Les messages écrits vingt ans plus tôt à cette femme tant aimée. Anéanti, il laissa les larmes couler le long de ses joues alors que tout remontait à la surface. La rage d'être passé à côté de l'amour, la vie à laquelle il avait renoncé, cette ligne rouge que dessinait le sang de tant de cadavres, victimes collatérales d'une histoire dont ils n'étaient que d'obscurs figurants.

Il rentra dans la maison pour se changer. En enfilant des habits secs, il ressentit une immense lassitude, comme si toute la sève qui irriguait son corps s'était retirée. Il avait hâte que tout cela se termine. Il avait vécu ces vingt dernières années à la manière d'un samouraï. Il avait essayé de faire face à l'existence avec courage et honneur. De suivre une discipline et une voie solitaire qui l'avaient mené à se préparer mentalement à accueillir la mort, pour ne pas avoir peur le jour où elle se pointerait.

Il était prêt. Il aurait préféré que ce dernier chapitre ne s'écrive pas dans le bruit et la fureur, mais c'était peine perdue. Il était engagé sur le front d'une guerre où il n'y aurait jamais de vainqueur. Il n'y aurait que des morts.

Depuis vingt ans, il savait que les choses se termineraient mal. Que, tôt ou tard, il serait obligé de tuer ou d'être tué, car c'était dans la nature même du secret épouvantable dont il était le dépositaire.

Mais même dans ses cauchemars, Fawles n'avait pas imaginé que la Mort qui allait l'emporter aurait les yeux verts, les mèches d'or et le beau visage de Mathilde Monney.

11

Ainsi la nuit

— Qu'est-ce qu'un bon roman ?
— Vous créez des personnages qui
suscitent l'amour et la sympathie
de vos lecteurs. Puis vous tuez ces
personnages. Et vous blessez votre
lecteur. Alors, il se souviendra
toujours de votre roman.

John IRVING

1.

Lorsque je repris connaissance, j'étais ligoté à l'arrière de la 4L d'Audibert et un démon invisible raclait l'intérieur de mon crâne avec un objet tranchant. Je souffrais le martyre. Mon nez était cassé, je n'arrivais plus à ouvrir l'œil gauche et mon arcade sourcilière pissait le sang. Pris de panique, j'essayai de me détacher, mais le libraire m'avait solidement lié les poignets et les chevilles avec des tendeurs.

— Libérez-moi, Audibert !

— Ta gueule, le puceau.

Les essuie-glaces de la 4L peinaient à évacuer les trombes d'eau qui s'abattaient sur le pare-brise. Je n'y voyais pas grand-chose, mais je saisis qu'on roulait vers l'est, en direction de la pointe du Safranier.

— Pourquoi vous faites ça ?

— Ferme ta bouche, j'ai dit !

J'étais trempé de pluie et de transpiration. Mes genoux tremblaient, mon cœur grelottait. J'étais mort de trouille, mais plus que tout, je voulais comprendre.

— C'est vous qui avez reçu en premier les images du vieil appareil photo, n'est-ce pas ? Ce n'est pas Mathilde !

Audibert ricana :

— On me les a fait parvenir via le compte Facebook de la librairie, tu imagines ça ? L'Amerloque de l'Alabama m'a retrouvé grâce à la première photo : Mathilde et moi devant la librairie le jour où je lui ai offert cet appareil pour son seizième anniversaire !

Je fermai les yeux brièvement pour essayer de comprendre l'enchaînement des faits. Audibert avait donc été le grand architecte d'une vengeance tardive destinée à faire payer les assassins de sa fille, de son gendre et de son petit-fils. Mais je ne saisissais pas pourquoi le libraire avait entraîné sa petite-fille dans sa vendetta. Lorsque je lui en fis part, il tourna la tête vers moi et, la bave aux lèvres, se mit à m'insulter :

— Parce que tu crois que je n'ai pas cherché à la protéger, espèce de foutriquet ! Je ne lui ai jamais montré les photos. Je ne les ai envoyées qu'à Patrice Verneuil, son grand-père paternel.

Mon esprit n'était plus très clair, mais je me souvenais d'avoir croisé le nom du père d'Alexandre dans mes recherches de la nuit. Patrice Verneuil, l'ancien grand flic, l'ex-directeur adjoint de la PJ qui occupait au moment de l'affaire un poste de conseiller au ministère de l'Intérieur. Mis au placard sous Jospin, il avait terminé sa carrière en apothéose lorsque Sarkozy était devenu le premier flic de France.

— Patrice et moi, on est liés par la même douleur, reprit le libraire en retrouvant un peu de calme. Lorsque Alexandre, Sofia et Théo ont été assassinés, notre vie s'est arrêtée. Ou plutôt, notre vie a continué sans nous. Brisée par le chagrin, la femme de Patrice s'est suicidée en 2002. Mon épouse, Anita, a donné le change jusqu'à la fin, mais sur son lit d'hôpital, au moment d'expirer, elle me répétait comme un mantra son regret que personne n'ait jamais fait la peau à ceux qui avaient massacré nos enfants.

Les mains agrippées à son volant, il donnait l'impression de se parler à lui-même. On sentait dans sa voix une rage contenue qui ne demandait qu'à exploser.

— Lorsque j'ai reçu ces photos et que je les ai montrées à Patrice, on a pensé tout de suite que c'était un cadeau de Dieu, ou du diable, pour nous permettre d'assouvir notre vengeance. Patrice a fait circuler les images des deux petits caïds auprès des anciens de la PJ et ils n'ont pas été longs à les identifier.

J'essayai une nouvelle fois de libérer mes mains, mais les tendeurs me cisaillaient les poignets.

— Bien sûr, nous avons décidé de laisser Mathilde en dehors de notre plan, continua le libraire. Et nous nous sommes partagé le travail. Patrice s'est occupé d'Amrani, et moi, j'ai attiré Chapuis sur l'île en me faisant passer pour le régisseur du domaine des Gallinari.

Emporté par son récit, Audibert semblait presque prendre plaisir à me détailler son crime :

— Je suis allé attendre la pouffiasse à la sortie du ferry. C'était un jour d'averse comme aujourd'hui. Dans la bagnole, je lui ai donné un bon coup de Taser, et puis je l'ai descendue dans la cave.

2.

À présent, je mesurais combien j'avais sous-estimé Audibert. Derrière son allure de vieil instit de province se cachait un assassin au sang froid. Patrice Verneuil et lui avaient prémédité de filmer les interrogatoires pour pouvoir se les échanger.

— Une fois dans la cave, reprit-il, je l'ai saignée à blanc avec délectation. Mais c'était un châtiment trop clément pour toute la souffrance qu'elle nous avait infligée.

Pourquoi m'étais-je pointé la fleur au fusil dans cette ruelle ? Pourquoi n'avais-je pas écouté Nathan, bordel ?

— C'est en la torturant qu'elle a fini par me lâcher le nom de Fawles.

— Donc, vous pensez que Fawles a tué les Verneuil ? demandai-je.

— Pas du tout. Je pense que cette conne de Chapuis a lâché ce nom un peu au hasard parce qu'elle se trouvait sur l'île et que l'écrivain y est associé. Je pense que ce sont eux les coupables, ces deux vermines qui auraient dû crever en prison. Finalement, ils n'ont eu que ce qu'ils méritaient. Et si je pouvais les tuer une seconde fois, je le ferais avec plaisir.

— Mais alors l'affaire est close puisque Apolline et Karim sont morts.

— Pour moi, elle l'était, mais ce n'était pas l'avis de cet entêté de Patrice. Il voulait absolument interroger Fawles lui-même, mais il est mort avant d'avoir pu le faire.

— Patrice Verneuil est mort ?

Audibert eut un rire de dément.

— Il y a quinze jours. Dévoré par un cancer de l'estomac ! Et avant de rendre son dernier souffle, cet imbécile n'a rien trouvé de mieux que d'envoyer à Mathilde une clé USB contenant les photos du vieil appareil, les vidéos et le fruit de notre enquête !

Les pièces du puzzle se mettaient en place, dévoilant un scénario hallucinant.

— Quand elle a découvert les photos de la soirée d'anniversaire, Mathilde a été bouleversée. Pendant dix-huit ans, elle avait refoulé le souvenir de sa présence dans l'appartement lorsque ses parents et son frère ont été tués. Elle avait tout oublié.

— J'ai du mal à le croire.

— Je me tamponne le coquillard de ce que tu peux croire ! C'est la vérité. Quand elle a débarqué chez moi, il y a dix jours, Mathilde était hors d'elle, comme possédée, déterminée à venger sa famille. Patrice lui avait dit que le cadavre d'Apolline était planqué dans mon congélateur.

— C'est elle qui a crucifié le corps au plus vieil eucalyptus de Beaumont ?

Dans le rétroviseur, je vis Audibert opiner du chef.

— Dans quel but ?

— Organiser le blocus de l'île, pardi ! Éviter la fuite de Nathan Fawles et le forcer à reconnaître sa responsabilité.

— Vous venez de me dire que vous ne pensez pas que Fawles est coupable !

— Non, mais elle, elle y croit. Et moi, je veux protéger ma petite-fille.

— La protéger comment ?

Le libraire ne répondit pas. À travers la vitre, je vis que la 4L venait de dépasser la plage de l'anse d'Argent. Je sentais mon cœur s'affoler dans ma poitrine. Où m'emmenait-il ?

— Je vous ai vu poster une lettre tout à l'heure, Audibert. Qu'est-ce que c'était ?

— Ha, ha ! Tu as l'œil, le puceau ! C'était une lettre de confession envoyée au commissariat de Toulon. Une lettre dans laquelle je m'accuse du meurtre d'Apolline et de celui de Fawles.

Voilà pourquoi nous roulions vers *La Croix du Sud* ! À présent, la pointe du Safranier était à moins d'un kilomètre. Audibert avait décidé de supprimer Fawles.

— Tu comprends, il faut que je le tue avant que Mathilde ne le fasse.

— Et moi ?

— Toi, tu t'es trouvé au mauvais endroit au mauvais moment. On appelle ça un dommage collatéral. C'est con, n'est-ce pas ?

Je devais tenter quelque chose pour le stopper dans sa folie. Avec mes deux pieds ligotés, je balançai un violent coup dans le dossier du siège conducteur. Audibert ne s'attendait pas à cette attaque. Il poussa un cri et se retourna vers moi juste au moment où un second coup l'atteignait en pleine tête.

— Sale petite tarlouze, je vais te…

La voiture fit une embardée. Son toit métallique était matraqué par le bruit de la pluie, et sous les trombes d'eau, j'avais l'impression d'être dans une embarcation à la dérive.

— Je vais te faire passer le goût du pain ! hurla le libraire en se saisissant du tisonnier posé sur le siège passager.

Je crus qu'il avait repris le contrôle du véhicule, mais un instant plus tard, la 4L défonça la barrière de protection et bascula dans le vide.

3.

Je n'ai jamais pensé que j'allais réellement mourir. Pendant les quelques secondes que dura la chute de la voiture, j'ai espéré jusqu'au bout qu'un événement se produise pour éviter le drame. Parce que la vie est un roman. Et qu'aucun auteur ne va tuer son narrateur à quatre-vingts pages de la fin de son histoire.

Cet instant n'a pas le goût de la mort, ni celui de la peur. Je ne revois pas le film de ma vie en accéléré, pas plus que la scène ne se déroule au ralenti, comme l'accident de voiture de Michel Piccoli dans *Les Choses de la vie*.

Une pensée étrange me traverse néanmoins. Un souvenir, ou plutôt une confidence que m'a faite mon père il y a peu de temps. Un épanchement aussi soudain que surprenant. Il m'a dit combien sa vie était « lumineuse » – c'est son propre terme – lorsque j'étais enfant. *Quand tu étais petit, on faisait plein de trucs ensemble*, m'a-t-il rappelé. Et c'est vrai. Je me souviens des balades en forêt, des visites de musées, des représentations théâtrales, des maquettes, du bricolage. Mais pas seulement. C'est lui qui m'emmenait à l'école tous les matins et, pendant le trajet, il m'apprenait toujours quelque chose. Ça pouvait être un épisode historique, une anecdote artistique, une règle de grammaire, une petite leçon de vie. Je l'entends encore me raconter :

Le participe passé des verbes pronominaux réfléchis s'accorde avec le complément d'objet direct si celui-ci est placé avant. Exemple : « Ils se sont lavé les mains » donne « Les mains qu'ils se sont lavées ». | *C'est en contemplant le ciel de la Côte d'Azur qu'Yves Klein a eu l'idée de créer une couleur de bleu la plus pure possible : l'International Klein Blue.* | *Le signe mathématique* ÷ *pour signifier la division s'appelle un obélus.* | *Au printemps 1792, quelques mois avant d'être décapité, Louis XVI avait suggéré de remplacer les lames droites des guillotines par des lames obliques pour améliorer leur efficacité.* | *La phrase la plus longue de la* Recherche *compte huit cent cinquante-six mots, la plus célèbre huit mots* (« Longtemps, je me suis couché de bonne heure. »), *la plus courte deux mots* (« Il regarda. »), *la plus belle douze* (« On n'aime que ce qu'on ne possède pas tout entier. »). | *C'est Victor Hugo qui a fait passer le mot « pieuvre » dans la langue française en le mentionnant pour la première fois dans son*

roman Les Travailleurs de la mer. | *La somme
de deux nombres entiers consécutifs est égale à
la différence de leur carré. Exemple : 6 + 7 = 13
= 7² − 6²…*

C'étaient des moments joyeux, mais un peu solen-
nels, et je crois que tout ce que j'ai appris ces matins-là
est resté gravé dans ma mémoire. Un jour – je devais
avoir onze ans –, mon père m'a dit avec une profonde
tristesse qu'il m'avait transmis à peu près tout ce qu'il
savait et que j'apprendrais le reste dans les livres.
Sur le moment, je ne l'ai pas cru, mais assez vite, nos
rapports sont devenus plus distants.

La hantise de mon père était de me perdre, que
je me fasse écraser par une bagnole, que je tombe
malade, qu'un détraqué m'enlève lorsque j'allais jouer
au parc… Mais finalement, ce sont les livres qui m'ont
séparé de lui. Les livres dont il m'avait pourtant vanté
les mérites.

Je ne l'ai pas compris tout de suite, mais les livres
ne sont pas toujours des vecteurs d'émancipation.
Les livres sont aussi facteurs de séparation. Les livres
n'abattent pas seulement des murs, ils en construisent.
Plus souvent qu'on ne le croit, les livres blessent, brisent
et tuent. Les livres sont des soleils trompeurs. Comme

le joli visage de Joanna Pawlowski, troisième dauphine au concours Miss Île-de-France 2014.

Un peu avant que la voiture ne s'écrase, un dernier souvenir surgit dans mon esprit. Certains matins, sur le chemin de l'école, quand mon père sentait qu'on risquait d'être en retard, on se mettait à courir pour les deux cents derniers mètres. *Tu vois, Rafa,* m'a-t-il dit, il y a quelques mois, en allumant l'une de ses cigarettes qu'il fumait jusqu'au filtre, *quand je pense à toi, c'est toujours cette même image qui me vient en tête. C'est le printemps, tu dois avoir cinq ou six ans, il fait soleil et il pleut en même temps. On court sous la pluie pour que tu ne sois pas en retard à l'école. On court tous les deux, côte à côte, main dans la main, à travers les gouttes de lumière.*

Cette lueur que tu avais dans les yeux.

Tes éclats de rire radieux.

L'équilibre parfait d'une vie.

12

Un visage changeant

> *Il est difficile de dire la vérité, car il n'y en a qu'une, mais elle est vivante et a par conséquent un visage changeant.*
>
> Franz KAFKA

1.

Lorsque Mathilde débarqua chez Fawles, elle était armée du fusil à pompe. Ses cheveux étaient mouillés et son visage, dénué de maquillage, portait la trace d'une nuit sans sommeil. Elle avait remisé ses petites robes à fleurs pour enfiler un jean effiloché et une parka matelassée à capuche.

— Le jeu est terminé, Nathan! lança-t-elle en faisant irruption dans le salon.

Fawles était assis à la table, devant l'ordinateur portable de Grégoire Audibert.

— Peut-être, répondit-il calmement, mais tu n'es pas la seule à en établir les règles.

— C'est pourtant moi qui ai cloué à l'arbre le cadavre de Chapuis.

— Dans quel but ?

— Il fallait bien cette mise en scène sacrilège pour obliger les autorités à boucler l'île et vous empêcher de prendre la fuite.

— C'était inutile. Pourquoi me serais-je enfui ?

— Pour éviter que je vous tue. Pour éviter que vos petits secrets soient révélés au monde entier.

— Côté petits secrets, je trouve que tu te débrouilles pas mal.

Pour appuyer son propos, Fawles tourna l'ordinateur dans la direction de Mathilde, la mettant face aux photos prises le soir de l'anniversaire de son frère.

— Tout le monde a toujours cru que la fille des Verneuil révisait son bac en Normandie. Mais c'était faux. Toi aussi, tu étais présente sur les lieux du drame. Ça doit être pesant de vivre avec un secret comme ça, non ?

Défaite, Mathilde s'assit en bout de table et posa l'arme sur le plateau, à portée de main.

— C'est pesant, mais pas pour les raisons que vous imaginez.

— Explique-moi…

L'indicible vérité

— Au début du mois de juin, pendant les révisions du bac, j'étais partie avec ma copine Iris dans la maison de campagne de ses parents à Honfleur. Les adultes venaient parfois nous rejoindre le week-end, mais en semaine, on n'était que toutes les deux. On était sérieuses et on avait vraiment bien bossé, alors le 11 juin au matin, je lui ai proposé de faire une pause.

— Tu voulais rentrer pour l'anniversaire de ton frère, c'est ça ?

— Oui, j'en avais besoin. Depuis plusieurs mois, je trouvais que Théo avait changé. Lui autrefois si joyeux et plein de vie était souvent triste et anxieux, traversé par des idées sombres. Par ma présence, je voulais lui montrer combien je l'aimais et lui faire comprendre que je serais là pour lui s'il avait des problèmes.

Mathilde parlait d'une voix posée. Son récit était structuré et l'on devinait que cette confession faisait partie de son plan : aller chercher la vérité, toute la vérité, dans les moindres recoins de chaque mémoire. Y compris la sienne.

— Iris m'a dit que si je retournais à Paris, elle en profiterait pour aller passer la journée avec ses cousines normandes. J'ai prévenu mes parents et leur ai demandé de ne rien dire à Théo pour lui faire une surprise. J'ai accompagné Iris en bus jusqu'au Havre, puis j'ai pris le train pour Saint-Lazare. Le soleil brillait. J'ai remonté les Champs-Élysée en faisant les boutiques pour trouver un cadeau à Théo. Je cherchais quelque chose qui lui fasse vraiment plaisir. Finalement, je lui ai acheté un maillot de foot de l'équipe de France. Puis je suis rentrée dans le XVIe arrondissement en métro par la ligne 9 jusqu'à La Muette. Je suis arrivée vers 18 heures. L'appartement était vide. Maman revenait de Sologne avec Théo, mon père était à son bureau, comme toujours. J'ai appelé ma mère pour lui proposer de passer chez le traiteur et le pâtissier récupérer le repas et le gâteau qu'elle avait commandés.

Impassible, Fawles écoutait la jeune femme dérouler sa version de cette soirée maudite. Vingt ans qu'il croyait détenir seul toutes les clés de l'affaire Verneuil. Il comprenait aujourd'hui que c'était loin d'être le cas.

— Ce fut une belle fête d'anniversaire, poursuivit Mathilde. Théo était heureux et c'est tout ce qui m'importait. Vous avez des frères ou des sœurs, Fawles ?

L'écrivain secoua la tête.

— Je ne sais pas comment auraient évolué nos relations, mais à cet âge, Théo m'adorait et c'était réciproque. Je le sentais fragile et j'avais l'impression d'être investie de la mission de le protéger. Après le match, on a fêté la victoire et Théo s'est endormi sur le canapé. Vers 23 heures, je l'ai raccompagné, à demi réveillé, jusqu'à son lit où je l'ai bordé comme je le faisais parfois, avant d'aller dans ma chambre. Moi aussi, j'étais fatiguée. Je me suis couchée avec un livre. J'entendais en bruit de fond mes parents qui discutaient dans la cuisine, puis mon père a téléphoné à mon grand-père pour parler du match de foot. Moi, j'ai fini par sombrer sur *L'Éducation sentimentale*.

Mathilde marqua une longue pause. Pendant un moment, on ne perçut plus que le bruit de la pluie qui fouettait les vitres et le craquement des bûches dans la cheminée. Il en coûtait à la jeune femme de continuer, mais l'heure n'était plus à la pudeur ou aux atermoiements. Elle raconta la suite presque dans un seul souffle. Ce n'était plus un dialogue, mais une plongée dans une fosse abyssale d'où on peinait à croire que quiconque ait pu sortir indemne.

2.

— Je m'étais endormie avec Flaubert et j'ai été réveillée par *Orange mécanique*. Un coup de feu qui a secoué toute la maison. Mon radio-réveil marquait

23 h 47. Je n'avais pas dormi très longtemps, mais ce réveil était le plus brutal que j'avais jamais connu. Malgré le danger que je pressentais, je suis sortie pieds nus de ma chambre. Dans le couloir, le cadavre de mon père baignait dans une mare de sang. Cette vision était insoutenable. On lui avait tiré dans le visage à bout portant. Des éclats de cervelle et d'hémoglobine éclaboussaient les murs. Je n'ai même pas eu le temps de hurler qu'un deuxième coup de feu sifflait à mes oreilles, et ma mère s'est écroulée à l'entrée de la cuisine. J'étais au-delà de la terreur. Dans l'espace saturé d'effroi qui conduit à la lisière de la folie.

Dans une situation pareille, votre cerveau déraille et n'obéit plus à aucune logique. Mon premier réflexe a été de me ruer dans ma chambre. J'ai mis trois secondes pour m'y réfugier. J'allais refermer la porte quand j'ai compris que j'oubliais Théo. Au moment de ressortir de la pièce, une nouvelle déflagration a pulvérisé le silence et le corps de mon frère, touché par une balle tirée dans le dos, m'est presque tombé dans les bras.

Un instinct de survie m'a fait me cacher sous mon lit. La lumière de ma chambre était éteinte, mais la porte était restée ouverte. Dans l'embrasure, j'apercevais le cadavre de mon petit Théo. Son maillot de foot n'était plus qu'une énorme tache de sang.

J'ai fermé les yeux, j'ai serré les lèvres, je me suis bouché les oreilles. Ne plus voir, ne pas crier, ne plus entendre. Je ne sais pas combien de temps je suis restée ainsi en apnée. Trente secondes ? Deux minutes ? Cinq minutes ? Lorsque j'ai rouvert les yeux, il y avait un homme dans ma chambre. De mon abri, je ne voyais que ses chaussures : des boots en cuir marron à empiètement élastique. Il est demeuré là quelques secondes, immobile, sans me chercher. J'en ai déduit qu'il ignorait que j'étais dans la maison. Au bout d'un moment, il a tourné les talons et a disparu. Je suis restée encore plusieurs minutes prostrée, sidérée, incapable de bouger. C'est le hurlement de la sirène de police qui m'a arrachée à cette torpeur. Sur mon trousseau, j'avais la clé permettant d'ouvrir la trappe qui donnait sur le toit. C'est par là que je me suis enfuie. Je ne m'explique pas cette réaction. L'arrivée de la police aurait dû me rassurer, mais c'est le contraire qui s'est produit.

Après, mes souvenirs sont plus flous. Je crois que j'ai agi de façon mécanique. J'ai marché dans la nuit jusqu'à Saint-Lazare et j'ai repris le premier train vers la Normandie. Lorsque je suis arrivée à Honfleur, Iris n'était pas rentrée. À son retour, j'ai trouvé la force de lui mentir. J'ai prétendu que je m'étais sentie migraineuse après l'avoir quittée et que je n'étais finalement pas allée à Paris. Elle m'a crue, d'autant plus volontiers qu'elle a remarqué que j'avais une tête de déterrée et a insisté pour appeler un médecin. Il est arrivé au milieu de la matinée, juste au moment où les flics du Havre débarquaient dans la maison, accompagnés de mon grand-père, Patrice Verneuil. C'est lui qui m'a appris officiellement la nouvelle du massacre de ma famille. Et c'est là que mon cerveau a disjoncté et que j'ai perdu connaissance.

À mon réveil, deux jours plus tard, je n'avais plus aucun souvenir de la soirée. Je pensais vraiment que mes parents et Théo avaient été assassinés en mon absence. Vu de l'extérieur, c'est difficile à croire, mais c'est pourtant ce qui s'est passé. Une véritable amnésie qui a duré dix-huit ans. Sans doute la seule solution qu'avait trouvée mon esprit pour que je puisse continuer à vivre. Avant même le massacre, je vivais déjà dans une angoisse permanente, mais le choc traumatique a provoqué un *shutdown* cérébral. Dans un réflexe de protection, ma mémoire s'est comme dissociée de mes émotions. Pendant les années qui ont suivi, je sentais bien que quelque chose n'allait pas. Je portais une vraie souffrance que j'attribuais, en partie à tort, à la perte de ma famille. J'avais certes refoulé ces souvenirs, mais ils pourrissaient en moi, pesant d'un poids invisible.

C'est le décès de mon grand-père, il y a deux semaines, qui a déchiré le voile de mon ignorance. À sa mort, Patrice Verneuil m'a fait parvenir une grande enveloppe dans laquelle une lettre expliquait sa conviction que vous étiez le véritable coupable des meurtres qui avaient eu lieu ce soir-là. Il me disait sa rage contre le cancer qui l'emportait et qui l'empêchait d'aller vous tuer lui-même. Le pli contenait également une clé USB qui regroupait les vidéos des interrogatoires de Chapuis et d'Amrani ainsi que *toutes* les photos trouvées sur l'appareil perdu au large de Hawaï. En découvrant les images de ma présence ce fameux soir, mon cerveau s'est déverrouillé et les souvenirs sont remontés avec la puissance d'un geyser. La mémoire me revenait par flashs violents qui charriaient dans leur cortège la culpabilité, la colère, la honte. J'étais submergée et j'avais l'impression que cela ne s'arrêterait jamais. Comme une digue en béton armé qui lâcherait soudain et engloutirait une vallée.

C'était une véritable décompensation : j'avais envie de hurler, de disparaître, je revisitais tout, comme si j'étais projetée dans le passé. Ce n'était pas du tout une libération. C'était quelque chose d'effrayant. Une explosion mentale perturbante qui m'a plongée une nouvelle fois dans l'horreur. Les images, les sons, les odeurs qui m'assaillaient étaient si précis, si durs que j'avais l'impression de revivre la scène à la puissance dix : le bruit assourdissant des coups de feu, les projections de sang, les cris, les morceaux de cervelle sur les murs, l'horreur de voir Théo tomber devant moi. Quel crime avais-je donc commis pour mériter qu'on me fasse vivre l'enfer une seconde fois ?

3.

Un jet d'urine éclaboussa Ange Agostini. Le flic municipal resta stoïque et termina de changer la couche de sa fille Livia. Il s'apprêtait à la recoucher lorsque son téléphone portable sonna. C'était Jacques Bartoletti, le pharmacien de l'île, qui l'appelait pour évoquer un accident dont il avait été témoin. Au petit matin, profitant de la fin du blocus, Barto avait pris son bateau pour aller pêcher la sériole, le maquereau et la daurade grise. Mais la pluie et le vent l'avaient fait rentrer plus tôt que prévu. C'est en doublant la pointe du Safranier qu'il avait aperçu une bagnole faire une sortie de route et s'écraser sur la falaise. Affolé, Bartoletti avait immédiatement averti les gardes-côtes. Il venait à présent aux nouvelles.

Ange lui répondit qu'il n'était pas au courant. Après avoir raccroché – et tandis que Livia rejetait un peu de lait sur son tee-shirt qui sentait déjà la pisse –, il passa un appel pour s'assurer que les secours à terre avaient bien eu l'information. Mais le téléphone du poste des pompiers ne répondait pas, pas plus que le portable du lieutenant-colonel Benhassi, en charge de l'île. Inquiet, Ange décida de se rendre lui-même sur place. La configuration n'était cependant pas idéale. C'était sa semaine de garde et les nuages commençaient à s'accumuler : d'abord, son fils Lucca avait une angine et était au fond de son lit ; ensuite, il faisait un temps pourri qui rendait les routes dangereuses.

Quelle galère... Ange alla réveiller Lucca doucement et l'aida à enfiler des habits chauds. Sa fille et son fils dans les bras – *ils pèsent une tonne, ces gamins... –*, Ange sortit de la maison par la porte qui donnait sur le garage. Il fit monter Lucca à l'arrière du triporteur, rabattit la capote et attacha le cosy de Livia sur le siège passager. La pointe du Safranier n'était qu'à trois kilomètres de sa maison, une villa provençale qu'il avait fait construire sur le terrain transmis par ses parents, mais que Pauline, son ex-femme, trouvait « petite », « mal exposée », « trop encaissée et sombre ».

— On va y aller doucement, les enfants.

Dans le rétro, Ange vit son fils qui levait le pouce dans sa direction. Le triporteur remonta avec peine le chemin en lacets qui menait à la Strada Principale. La pluie rendait le terrain très glissant et le Piaggio avait du mal dans les endroits les plus pentus. Ange avait le ventre qui se tordait en pensant aux risques qu'il faisait courir à ses enfants. Il poussa un soupir de soulagement une fois sur la grand-route. Mais tout danger n'était pas écarté. L'orage s'abattait sur l'île avec une force rare. Ange avait toujours une appréhension les jours de tempête. Son île, généralement si hospitalière, s'affichait sous un profil instable et menaçant, comme un écho à la part sombre que chaque être porte en lui.

Le triporteur tanguait, la pluie tambourinait contre les vitres. Le bébé hurlait et, dans le coffre, Lucca ne devait pas en mener large. Ils venaient de dépasser la plage de l'anse d'Argent lorsque, au détour d'un virage, ils furent bloqués par une grosse branche de pin que la tempête avait brisée. Ange rangea son engin au bord de la route et fit signe à son fils de venir rejoindre sa sœur dans l'habitacle pendant qu'il libérait la chaussée.

Le flic sortit sous la pluie et écarta avec beaucoup d'efforts la branche et les débris qui obstruaient le passage. Il allait remonter dans sa voiturette lorsqu'il repéra le véhicule d'intervention des pompiers cinquante mètres plus loin, un peu avant l'embranchement du sentier des Botanistes. Il gara le triporteur contre le camion, recommanda à Lucca de ne pas bouger et courut rejoindre les pompiers. Il était trempé, un peu piteux, de l'eau ruisselait dans le col de son polo et coulait dans son dos. En contrebas, il aperçut la carcasse d'une voiture sans parvenir à l'identifier.

La haute silhouette de Najib Benhassi – le lieutenant-colonel qui dirigeait les sapeurs-pompiers de Beaumont – émergea de la brume.

— Salut, Ange.

Les deux hommes se serrèrent la main.

— C'est la bagnole du libraire, dit Benhassi en anticipant la question.

— Grégoire Audibert?

Le pompier acquiesça, puis précisa:

— Il n'était pas seul. Son jeune employé était dans la bagnole avec lui.

— Raphaël?

— Raphaël Bataille, c'est ça, répondit Benhassi en consultant ses notes.

Il marqua une pause et ajouta en désignant son équipe:

— On est en train de les remonter. Ils sont morts tous les deux.

Le pauvre gosse!

Ange accusa le coup, cueilli à froid par cette nouvelle irruption de la mort juste au moment où l'étau du blocus commençait à se desserrer. Il croisa le regard du pompier et perçut le malaise qui se creusait sur son visage.

— À quoi tu penses, Najib?

Après un silence, le lieutenant-colonel fit part de sa perplexité:

— Il y a quelque chose de très étrange. Le gamin avait les mains et les pieds entravés.

— Entravés par quoi?

— Par des tendeurs. Il était ligoté avec des tendeurs.

4.

La tempête se déchaînait. Mathilde avait terminé son récit depuis une bonne minute. Murée dans le silence, elle menaçait de nouveau Fawles en pointant sur lui le fusil à pompe. L'écrivain s'était levé. Planté devant la baie vitrée, les mains derrière le dos, il observait les pins qui se courbaient et semblaient se tordre de douleur sous l'averse. Au bout d'un long moment, il se retourna très calmement vers la jeune femme et lui demanda:

— Si je comprends bien, tu penses toi aussi que c'est moi qui ai tué tes parents?

— Apolline vous a identifié avec certitude dans le parking. Et moi, cachée sous mon lit, j'ai clairement vu vos chaussures. Alors oui, je pense que vous êtes un assassin.

Fawles considéra l'argument sans chercher à le balayer. Après un temps de réflexion, il s'interrogea :

— Mais quel serait mon mobile ?

— Votre mobile ? C'est que vous étiez l'amant de ma mère.

L'écrivain ne put masquer sa surprise.

— C'est absurde. Je n'ai jamais rencontré ta mère !

— Vous lui avez écrit des lettres, pourtant. Des lettres que d'ailleurs vous avez récupérées depuis peu.

Avec le canon du fusil, Mathilde désigna les missives que Fawles avait réunies avec un ruban et posées sur la table. L'écrivain contre-attaqua :

— Comment ces lettres sont-elles entrées en ta possession ?

Mathilde effectua une nouvelle incursion dans le passé. Toujours la même soirée, le même enchaînement d'événements qui, en quelques heures, avaient bouleversé le destin de tant de personnes.

— Le soir du 11 juin 2000, avant que le dîner d'anniversaire ne débute, je me suis changée pour mettre une tenue appropriée. J'ai trouvé une jolie robe d'été dans ma penderie, mais je n'avais pas de chaussures assorties. Comme je le faisais parfois, je suis allée fouiller dans le dressing de ma mère. Elle avait plus d'une centaine de paires de pompes différentes. Et c'est là, dans une boîte en carton, que je suis tombée sur ces courriers. Lorsque je les ai parcourus, j'ai été traversée de sentiments contraires. D'abord, le choc de découvrir que ma mère avait un amant, et ensuite, presque malgré moi, la jalousie qu'un homme lui écrive des textes aussi poétiques et enflammés.

— Et tu as gardé les lettres pendant vingt ans ?

— Pour les lire à mon aise, je les ai rapportées dans ma chambre et cachées dans mon sac, me promettant de les parcourir quand je serais seule à la maison, et de les remettre à leur place ensuite. Mais je n'en ai jamais eu l'occasion. Après le drame, j'en ai perdu à la fois la trace et le souvenir. Mon grand-père paternel, chez qui j'ai vécu après le massacre, avait dû les entreposer quelque part, comme quantité d'objets qui pouvaient me ramener à cette soirée. Mais Patrice Verneuil ne les avait pas oubliées, et il a fait le lien avec vous après les révélations d'Apolline. Il me les a envoyées en même temps que la clé USB. Il n'y a aucun doute : c'est votre écriture et elles sont signées de votre prénom.

— Oui, elles sont bien de moi, mais qu'est-ce qui te fait croire qu'elles étaient destinées à ta mère ?

— Elles sont adressées à S. Ma mère s'appelait Sofia et c'est dans sa chambre qu'elles se trouvaient. Ça fait un beau faisceau d'indices concordants, non ?

Fawles ne répondit pas. À la place, il avança un autre pion :

— Pourquoi es-tu venue ici au juste ? Pour me tuer ?

— Pas tout de suite. D'abord, je voudrais vous donner un cadeau.

Elle fouilla dans sa poche et en ressortit un objet circulaire qu'elle plaqua sur la table. Fawles crut d'abord que c'était un rouleau d'adhésif noir avant de comprendre qu'il s'agissait d'un ruban encreur de machine à écrire.

Mathilde se dirigea vers l'étagère pour y prendre l'Olivetti et la posa sur la table.

— Je veux des aveux complets, Fawles.

— Des aveux ?

— Avant de vous tuer, je veux une trace écrite.

— Une trace écrite de quoi ?

— Je veux que tout le monde sache ce que vous avez fait. Je veux que tout le monde sache que le grand Nathan Fawles est un assassin. Vous n'allez pas passer à la postérité sur un piédestal, croyez-moi !

Il regarda la machine un instant, leva les yeux vers elle et se défendit :

— Même si je suis un assassin, tu ne peux rien contre mes livres.

— Oui, je sais, c'est très à la mode en ce moment de vouloir séparer l'homme de l'artiste : Untel a commis des atrocités, mais reste un artiste génial. Désolé, mais pour moi, ça ne marche pas comme ça.

— C'est un vaste débat, mais si tu peux tuer l'artiste, tu ne tueras jamais l'œuvre d'art.

— Je croyais que vos livres étaient surestimés.

— Là n'est pas le problème. Et au fond de toi, tu sais que j'ai raison.

— Au fond de moi, j'ai envie de vous mettre deux balles dans la peau, Nathan Fawles.

D'un geste soudain, elle lui balança un violent coup de crosse dans les reins pour l'obliger à s'asseoir.

Fawles s'effondra sur la chaise en serrant les dents.

— Tu crois que c'est facile de tuer quelqu'un ? Tu… tu crois que ton faisceau d'indices convergents te donne le droit de me tuer ? Juste parce que c'est ton bon plaisir ?

— Non, vous avez droit à une défense, c'est vrai. C'est pourquoi je vous laisse cette possibilité d'être votre propre avocat. C'est ce que vous aimiez répéter dans vos interviews : « Depuis l'adolescence, mes seules armes ont toujours été mon vieux Bic mâchouillé et un bloc-notes à feuilles quadrillées.» Eh bien, voilà : pour vous défendre, vous avez une machine à écrire, une rame de papier et une demi-heure.

— Tu veux quoi exactement ?

Exaspérée, Mathilde posa le canon du fusil sur la tempe de l'écrivain.

— La vérité ! cria-t-elle.

Fawles la défia :

— Tu as l'impression que la vérité te permettra de faire table rasc du passé, de te libérer de tes souffrances et de repartir de zéro ? Désolé, mais c'est une illusion.

— Laissez-moi en être la seule juge.

— Mais la vérité n'existe pas, Mathilde ! Ou plutôt si, la vérité existe, mais elle est en mouvement, toujours vivante, toujours changeante.

— J'en ai plein le cul de vos sophismes, Fawles.

— Que tu le veuilles ou non, l'humanité n'est pas binaire. On évolue tous dans une zone grise et instable où le meilleur des hommes pourra toujours commettre le pire. Pourquoi veux-tu t'infliger ça ? Une vérité que tu n'es pas capable de supporter. Un jet d'acide sur une blessure encore vive.

— Je n'ai pas besoin d'être protégée. En tout cas, pas par vous ! lança-t-elle.

Puis elle désigna la machine à écrire.

— Mettez-vous au travail. Tout de suite ! Racontez-moi votre version : les faits bruts, juste les faits. Pas de style, pas de poésie, pas de digressions, pas d'emphase. Je ramasse les copies dans une demi-heure.

— Non, je…

Mais un deuxième coup de crosse le fit capituler. Il grimaça en se courbant sous le choc, puis glissa lentement le rouleau dans la machine.

Après tout, s'il devait mourir aujourd'hui, autant que ce soit assis derrière une machine à écrire. C'était là qu'était sa place. Là où il s'était toujours senti le moins mal. Sauver sa peau en alignant des mots sur un clavier : c'était un défi qu'il était capable de relever.

Pour s'échauffer, il tapa la première chose qui lui passa par la tête. Une phrase de Georges Simenon, l'un de ses maîtres, qui lui semblait appropriée à la situation.

```
Combien la vie est différente quand on la
vit et quand on l'épluche après coup.
```

Vingt ans après, le crépitement des touches sous ses doigts lui provoqua un frisson. Cela lui avait manqué, bien sûr, mais cette absence derrière un clavier n'était pas de son fait. Parfois, la volonté ne peut rien si elle n'est pas accompagnée par un flingue sur la tempe.

J'ai rencontré Soizic Le Garrec au printemps 1996 sur un vol New York—Paris. Elle était assise à côté de moi, près du hublot, et était plongée dans un de mes romans.

Et voilà, c'était parti... Il hésita encore quelques secondes, jeta à Mathilde un dernier coup d'œil qui disait : *il est encore temps de tout arrêter, encore temps de ne pas dégoupiller la grenade qui va nous exploser à la gueule et nous tuer tous les deux.*

Mais le regard de Mathilde ne lui répondit qu'une seule chose : *balancez-la, votre grenade, Fawles. Balancez-le, votre jet d'acide...*

13

Miss Sarajevo

*Combien la vie est différente quand
on la vit et quand on l'épluche
après coup.*

Georges SIMENON

J'ai rencontré Soizic Le Garrec au printemps 1996 sur un vol New York-Paris. Elle était assise à côté de moi, près du hublot, et était plongée dans un de mes romans. Il s'agissait d'*Une petite ville américaine*, le dernier paru, qu'elle avait acheté à l'aéroport. Sans me faire connaître, je lui demandai si elle appréciait le livre – elle en avait déjà lu une centaine de pages. Là, au milieu des nuages, elle me répondit tranquillement qu'elle ne l'aimait pas du tout et qu'elle ne comprenait absolument pas l'engouement autour de cet écrivain. Je lui fis remarquer que Nathan Fawles venait tout de même de recevoir le prix Pulitzer, mais elle m'assura qu'elle n'accordait aucun crédit aux prix littéraires et que leurs bandeaux triomphants qui défiguraient la couverture des livres *n'étaient que des attrape-gogos.* Je citai Bergson pour l'impressionner («Nous ne voyons pas les choses mêmes; nous nous bornons, le plus souvent, à lire les étiquettes collées sur elles.»), mais ça ne l'impressionna pas.

Au bout d'un moment, n'y tenant plus, je lui révélai que *j'étais* Nathan Fawles, mais ça ne sembla pas l'émouvoir plus que ça. En dépit de cette difficile entrée en matière, nous ne cessâmes pas de discuter pendant les six heures que durait le vol. Ou plutôt, c'est moi qui, par mes questions, ne cessai de la distraire de sa lecture.

Soizic était une jeune médecin de trente ans. Moi, j'en avais trente-deux. Par bribes, elle me raconta une partie de son histoire. En 1992, alors qu'elle venait de terminer ses études, elle était partie en Bosnie pour rejoindre son copain de l'époque, un cameraman d'Antenne 2. C'était le début de ce qui allait devenir le plus long siège de la guerre moderne : le martyre de Sarajevo. Au bout de quelques semaines, le type était rentré en France ou parti couvrir d'autres conflits. Soizic était restée. Elle s'était rapprochée des organisations humanitaires présentes sur place. Pendant quatre ans, elle avait enduré le calvaire des trois cent cinquante mille habitants, mettant ses compétences au service de la ville assiégée.

Je serais bien incapable de te faire un cours magistral, mais si tu veux comprendre quelque chose à ce récit, à mon histoire et par ricochet à celle de ta famille, il faut que tu te replonges dans la réalité de l'époque : celle de la désintégration de la Yougoslavie dans les années qui ont suivi la chute du mur de Berlin et la dissolution de l'URSS. Depuis l'après-guerre, l'ancien royaume de Yougoslavie avait été réunifié par le maréchal Tito grâce à l'instauration d'une fédération communiste de six États des Balkans : la Slovénie, la Croatie, le Monténégro, la Bosnie, la Macédoine et la Serbie. Avec l'effondrement du communisme, les Balkans connurent une montée des nationalismes. Dans un contexte d'exacerbation des tensions, l'homme fort du pays, Slobodan Milosevic, réactiva l'idée d'une Grande Serbie qui regrouperait toutes les minorités serbes dans un même territoire. Successivement, la Slovénie, la Croatie, la Bosnie et la Macédoine revendiquèrent leur indépendance, ce qui provoqua une série de conflits violents et meurtriers. Sur fond de nettoyage ethnique et d'impuissance de l'ONU, la guerre de Bosnie fut une boucherie qui fit plus de cent mille morts.

Lorsque je l'ai rencontrée, Soizic portait dans sa chair et dans sa tête les stigmates du calvaire de Sarajevo. Quatre ans de terreur, de bombardements incessants, de faim, de froid, quatre ans de balles qui sifflent, d'opérations chirurgicales parfois réalisées sans anesthésiants. Soizic faisait partie de ces personnes qui vivaient dans leurs tripes les tourments du monde. Mais tout ça l'avait entamée. La misère du monde est un fardeau qui peut vous écraser si vous en faites une affaire personnelle.

★

On a atterri vers 7 heures du matin dans la grisaille déprimante de Roissy. On s'est dit au revoir et j'ai pris ma place dans la queue des taxis. Tout était désespérant : la perspective de ne plus la voir, l'humidité glaciale de ce matin-là, les nuages sales et pollués qui encombraient le ciel et me donnaient l'impression qu'ils étaient le seul horizon de ma vie. Mais une force de rappel m'a incité à réagir. Tu connais le concept grec du *kairos*? C'est l'instant décisif qu'il ne faut pas laisser passer. Dans toutes les vies, même les plus merdeuses, le ciel te donne au moins une fois une vraie chance de faire basculer ton destin. Le *kairos*, c'est la capacité à savoir saisir cette perche que la vie te tend. Mais le moment est généralement très bref. Et la vie ne repasse pas les plats. Eh bien, ce matin-là, j'ai su que quelque chose de crucial était en train de se jouer. J'ai quitté la file et je suis revenu sur mes pas. J'ai cherché Soizic dans tout le terminal et j'ai fini par la retrouver en train d'attendre la navette. Je lui ai dit qu'on m'avait invité à venir dédicacer mes livres dans la librairie d'une île de Méditerranée. Et, sans ambages, je lui ai proposé de m'accompagner. Comme il arrive parfois que le *kairos* frappe deux êtres au même instant, Soizic a dit oui sans hésiter et nous sommes partis le jour même pour l'île Beaumont.

Nous sommes restés quinze jours sur l'île et nous en sommes tombés amoureux en même temps que nous tombions amoureux l'un de l'autre. Ce fut un moment hors du temps comme cette salope de vie en offre parfois pour te faire croire que le bonheur existe. Un collier d'instantanés brillants comme des perles. Sur un coup de folie, j'ai englouti dix ans de droits d'auteur dans *La Croix du Sud*. Je nous y voyais couler des jours heureux et croyais avoir trouvé l'endroit idéal pour regarder grandir nos enfants. Je m'y voyais écrire mes futurs romans aussi. J'avais tort.

★

Pendant les deux années qui ont suivi, nous avons mené une vie de couple en parfaite harmonie, même si nous n'étions pas toujours ensemble. Quand nous l'étions, nous passions notre temps en Bretagne – d'où Soizic était originaire et où elle avait sa famille – et dans notre repaire, *La Croix du Sud*. Galvanisé par cet amour neuf, j'avais commencé l'écriture d'un nouveau roman intitulé *Un invincible été*. Le reste du temps, Soizic était sur le terrain. Elle était retournée sur son territoire de cœur, les Balkans, et effectuait des missions pour la Croix-Rouge.

Cette région du monde n'en avait malheureusement pas fini avec l'horreur de la guerre. À partir de 1998, ce fut au tour du Kosovo de s'embraser. Là encore, excuse-moi de devoir jouer les profs d'histoire, mais c'est le seul moyen pour que tu comprennes ce qu'il s'est passé. Le territoire kosovar est une province autonome de la Serbie majoritairement peuplée d'Albanais. Dès la fin des années 1980, Milosevic commença à rogner l'autonomie de la province, puis la Serbie tenta de recoloniser le territoire en y implantant des colons.

Une partie de la population kosovare fut expulsée hors des frontières. La résistance s'organisa, d'abord pacifiquement par l'intermédiaire de son leader

L'indicible vérité

Ibrahim Rugova, le « Gandhi des Balkans », connu pour son refus de la violence, puis par les armes avec la création de l'Armée de libération du Kosovo – la fameuse UÇK dont la base arrière se situait en Albanie, où elle profitait de l'effondrement du régime pour piller son stock d'armes.

C'est pendant cette guerre du Kosovo que Soizic fut tuée, aux derniers jours de décembre 1998. D'après le rapport que le Quai d'Orsay envoya à ses parents, elle était tombée dans une embuscade alors qu'elle accompagnait un photographe de guerre anglais qui faisait un reportage à une trentaine de kilomètres de Pristina. Son corps fut rapatrié en France et enterré le 31 décembre dans le petit cimetière breton de Sainte-Marine.

★

La mort de la femme que j'aimais m'a dévasté. Pendant six mois, j'ai vécu cloîtré chez moi, dans les brumes de l'alcool et des médicaments. En juin 1999, j'ai annoncé que j'arrêtais d'écrire, car je ne voulais plus que l'on attende quelque chose de moi.

Le monde continuait à tourner. Au printemps 1999, après moult atermoiements, les Nations unies se décidèrent enfin à voter pour une intervention au Kosovo qui prit la forme d'une campagne aérienne de bombardements. Au début de l'été suivant, les forces serbes se retirèrent du Kosovo, qui devint un protectorat international sous mandat de l'ONU. La guerre avait occasionné quinze mille victimes et des milliers de disparus. Une grande partie d'entre eux étaient des civils. Et tout ça se passait à deux heures d'avion de Paris.

★

Quand l'automne arriva, je pris la décision de me rendre dans les Balkans. À Sarajevo d'abord, puis au Kosovo. Je voulais voir les lieux qui avaient compté pour Soizic, ceux où elle avait vécu les dernières années de sa vie. Dans la région, les braises étaient encore chaudes. Je rencontrai des Kosovars, des Bosniaques, des Serbes. Une population hagarde, déboussolée, qui avait passé les dix dernières années dans le feu et le chaos et qui tentait tant bien que mal de se reconstruire. Je cherchais le souvenir de Soizic, j'y trouvais sa présence fantomatique au détour d'une rue, d'un jardin, d'un dispensaire. Un fantôme qui veillait sur moi et accompagnait ma peine. C'était déchirant, mais ça me faisait du bien.

Presque malgré moi, au gré des conversations, je glanais des infos auprès de gens qui avaient croisé Soizic juste avant sa mort. Une confidence par-ci entraînait une question par-là, et ainsi de suite. Petit à petit, ces ramifications prenaient la forme d'une toile d'araignée qui transformait mon chemin de deuil initial en une enquête fouillée sur les circonstances dans lesquelles Soizic avait été tuée. Je n'étais plus retourné en mission depuis longtemps, mais j'avais gardé les réflexes et le sens du terrain acquis lors de mon passage dans l'humanitaire. J'avais quelques contacts et, surtout, j'avais du temps.

★

Je m'étais toujours demandé ce que faisait Soizic en compagnie d'un jeune journaliste du *Guardian* lorsqu'elle avait été tuée. Le type s'appelait Timothy Mercurio. Je n'ai jamais cru que ça pouvait être un amant de passage – et j'appris plus tard que Mercurio était ouvertement gay. Mais je n'ai jamais cru non plus que le couple se trouvait là par hasard. Soizic connaissait la langue serbo-croate. Le journaliste avait dû lui demander de l'accompagner pour interroger des gens. Une rumeur était venue plusieurs fois à mes oreilles : Mercurio enquêtait sur la Maison du Diable, une ancienne ferme située en Albanie que l'on avait transformée en centre de détention et qui alimentait un trafic d'organes.

L'existence de centres de détention kosovars en Albanie n'était pas réellement un scoop. L'Albanie était la base arrière de l'UÇK, l'Armée de libération, qui y avait installé des camps de prisonniers. Mais la Maison du Diable, c'était autre chose. D'après ce qui se murmurait, il s'agissait d'un endroit où on amenait des prisonniers – majoritairement serbes, mais également des Albanais accusés d'avoir collaboré avec la Serbie – pour les trier selon des critères médicaux. Après cette sélection macabre, certains étaient tués d'une balle dans la tête et leurs organes étaient prélevés. On disait que ce trafic ignoble était entre les mains des hommes du Kuçedra, un groupe mafieux obscur qui répandait la terreur sur le territoire.

★

Je ne savais quoi penser de cette rumeur. Au début, elle me semblait folle, et j'avais pu constater que la période était propice aux exagérations en tout genre pour discréditer tel ou tel clan. Mais j'ai décidé de reprendre depuis le début l'enquête de Mercurio et de Soizic, persuadé que personne d'autre que moi ne réussirait à la mener. À cette époque, l'ex-Yougoslavie comptait des dizaines de milliers de disparus. Les preuves s'évanouissaient vite, les gens avaient peur de parler. Pourtant je voulais aller au bout de cette histoire, et plus j'enquêtais, plus l'existence de la Maison du Diable me paraissait crédible.

À force de recherches, j'ai pu identifier des témoins potentiels de ce trafic, mais ils n'étaient guère loquaces lorsqu'il fallait entrer dans les détails. Beaucoup des gens que je rencontrais étaient des paysans ou de petits artisans terrorisés par les hommes du Kuçedra. Je t'ai déjà parlé du Kuçedra, tu t'en souviens ? Dans le folklore albanais, c'est un dragon maléfique à cornes. Un monstre femelle démoniaque à neuf langues, aux yeux d'argent, au long corps difforme recouvert d'épines et alourdi par deux ailes gigantesques. Dans les croyances populaires, le Kuçedra réclame toujours plus de sacrifices humains, faute de quoi il crachera sa flamme et mettra le pays à feu et à sang.

Un jour, ma persévérance a porté ses fruits : j'ai retrouvé un chauffeur qui avait participé au transport des prisonniers jusqu'en Albanie. Après des tractations sans fin, il a accepté de me conduire jusqu'à la Maison du Diable. C'était un ancien corps de ferme isolé en pleine forêt, qui tombait en ruine. J'ai arpenté les lieux en long et en large sans trouver grand-chose de concluant. Difficile de croire que des opérations médicales avaient eu lieu ici. Le village le plus proche était situé à dix kilomètres. Les gens du coin étaient hostiles. Chaque fois que j'abordais le sujet, les langues restaient paralysées par la peur des représailles des hommes du Kuçedra. Pour ne pas me parler, ils prétendaient tous ne pas être capables d'aligner trois mots d'anglais.

J'ai décidé de camper sur place pendant plusieurs jours. Finalement, la femme d'un cantonnier qui avait été touchée par mon histoire et m'avait pris en pitié m'a répété ce que lui avait dit son mari. La Maison du Diable n'était qu'un lieu de transit. Une sorte de gare de triage où les prisonniers étaient soumis à toute une batterie d'examens médicaux et d'analyses de sang. Les donneurs d'organes compatibles étaient ensuite conduits vers la clinique Phoenix, un petit établissement clandestin de la banlieue d'Istok.

★

L'indicible vérité

Grâce aux indications qu'elle m'a données, j'ai fini par retrouver l'emplacement de la clinique Phoenix. Dans le Kosovo de l'hiver 1999, c'était une bâtisse abandonnée et délabrée que des pillards avaient vidée de son matériel. Il restait deux ou trois lits rouillés, quelques appareils médicaux hors d'usage, des poubelles remplies de poches en plastique et de boîtes de médocs vides. Le plus déterminant a été ma rencontre avec une sorte de SDF qui squattait les lieux. Drogué jusqu'à la moelle, il disait s'appeler Carsten Katz. C'était un anesthésiste autrichien qui avait travaillé à la clinique lorsqu'elle était encore en activité. Plus tard, j'ai découvert qu'il était également connu sous deux surnoms peu flatteurs : le Marchand de sable et le Pharmacien de garde.

Je l'ai interrogé sur la clinique, mais l'homme n'était pas dans le meilleur état qui soit. Dégoulinant de transpiration, le regard halluciné, il se tordait de douleur. Accro à la morphine, Katz était prêt à tout pour avoir sa dose. Je lui ai promis de revenir un peu plus tard avec des munitions. J'ai filé à Pristina où j'ai passé le reste de la journée en quête d'alcaloïdes. J'avais suffisamment de dollars pour ouvrir les bonnes portes et j'ai raflé toute la morphine que j'ai pu trouver.

Il faisait nuit depuis longtemps lorsque je suis revenu à la clinique. Carsten Katz était aussi effrayant qu'un zombie. Il avait transformé un des conduits d'aération en cheminée et allumé un feu avec des planches de contreplaqué. Quand il a aperçu les deux ampoules de morphine, il s'est jeté sur moi comme un dément. Je lui ai fait moi-même ses piquouses et j'ai attendu un long moment qu'il retrouve un semblant de calme. Puis l'anesthésiste s'est mis à table et m'a tout raconté.

Il m'a d'abord confirmé la fonction de triage de la Maison du Diable. Puis le transport de certains prisonniers jusqu'à la clinique Phoenix. C'est là qu'ils étaient exécutés d'une balle dans la tête avant que leurs organes – principalement des reins – soient prélevés pour être transplantés. Sans surprise, les receveurs étaient de riches malades étrangers qui pouvaient payer entre 50 000 et 100 000 euros l'opération. « Le business était bien rodé », a continué Carsten Katz. L'anesthésiste prétendait avoir identifié les hommes du Kuçedra, un petit groupe dirigé par un trio maléfique. Un chef militaire kosovar, un mafieux albanais et un chirurgien français : Alexandre Verneuil. Si les deux premiers assuraient l'arrestation et le transport des prisonniers, c'était ton père,

Mathilde, qui supervisait toute la partie « médicale ». En plus de Katz, ton père avait recruté une équipe de médecins : un chirurgien turc, un autre roumain et un chef infirmier grec. Des mecs qui connaissaient leur affaire sur le plan médical, mais pas très clairs par rapport à leur serment d'Hippocrate.

D'après Katz, une cinquantaine d'opérations sauvages avaient été pratiquées à la clinique Phoenix. Parfois, les reins n'étaient pas greffés sur place, mais expédiés par avion à destination de cliniques étrangères. J'ai cuisiné l'Autrichien au maximum, lui laissant miroiter d'autres ampoules de morphine. Le Marchand de sable était formel : Alexandre Verneuil était le vrai cerveau de l'affaire, celui qui avait imaginé le trafic et qui pilotait l'opération. Le pire, c'est que le Kosovo n'était pas un coup d'essai pour ton père, mais la reprise d'un trafic bien rodé qu'il avait déjà mis en place ailleurs, au gré de ses missions humanitaires. Grâce à son réseau et à sa position, Verneuil avait accès à des bases de données dans beaucoup de pays pour entrer en contact avec des patients gravement malades, prêts à débourser beaucoup d'argent pour un nouvel organe. Tout se traitait bien sûr en cash ou passait par des comptes bancaires offshore.

J'ai sorti deux nouvelles ampoules de morphine de la poche de mon manteau. Le toubib les a regardées avec des yeux fous.

— À présent, je voudrais que tu me parles de Timothy Mercurio.

— Le mec du *Guardian* ? s'est souvenu Katz. Il nous traquait depuis plusieurs semaines. Il avait remonté la filière grâce à un informateur : un infirmier kosovar qui avait travaillé pour nous au début de l'opération.

L'Autrichien s'était roulé une cigarette sur laquelle il tirait comme si sa vie en dépendait.

— Les types du Kuçedra avaient intimidé Mercurio à plusieurs reprises pour le dissuader de continuer à enquêter, mais le journaliste a voulu jouer les héros. Un soir, les gardes l'ont chopé ici avec sa caméra. C'était totalement inconscient de sa part.

— Il n'était pas seul.

— Non, il était venu avec une blondinette qui devait être son assistante ou une interprète.

— Vous les avez tués ?

— C'est Verneuil lui-même qui les a fumés. Et il n'y avait pas d'autre issue.

— Et les corps ?

— On les a transportés près de Pristina pour faire croire que lui et la nana étaient tombés dans une embuscade. C'est triste, mais je ne vais pas pleurer sur eux. Mercurio savait très bien les risques qu'il prenait en venant ici.

★

Tu voulais la vérité, Mathilde, eh bien, la voilà : ton père n'était pas le brillant et généreux docteur qu'il prétendait être. C'était un criminel et un assassin. Un monstre abominable qui avait plusieurs dizaines de morts sur la conscience. Et qui a tué de ses mains la seule femme que j'aie jamais aimée.

★

Lorsque je suis rentré en France, j'étais déterminé à tuer Alexandre Verneuil. Mais j'ai pris le temps de retranscrire et de consigner tous les témoignages que j'avais obtenus dans les Balkans. J'ai développé et classé toutes les photos que j'avais faites, j'ai monté les images que j'avais filmées et j'ai longuement enquêté sur les autres théâtres d'opérations sur lesquels ton père avait sévi, pour constituer le plus détaillé des dossiers à charge. Non seulement je voulais que Verneuil meure, mais encore je voulais révéler au grand jour le monstre qu'il était. Exactement ce que tu as cru faire avec moi, en somme.

Une fois mon réquisitoire achevé, quand l'heure de passer à l'acte a sonné, j'ai commencé à le suivre, à l'épier dans presque tous ses déplacements. Je ne savais pas encore précisément comment m'y prendre. Je voulais que le supplice dure longtemps, qu'il boive le calice jusqu'à la lie. Mais plus le temps passait, plus une évidence s'imposait : ma vengeance était trop douce. En tuant Verneuil, je risquais d'en faire une victime et je mettais trop rapidement fin au calvaire que je voulais le voir endurer.

Le 11 juin 2000, j'ai poussé la porte du *Dôme*, boulevard du Montparnasse, le restaurant dans lequel ton père avait ses habitudes. J'ai laissé au maître d'hôtel une photocopie de mon dossier d'accusation en lui demandant de la remettre à Verneuil. Je me suis éclipsé avant qu'il ne me repère. J'étais bien décidé à confier mes révélations et mes preuves à la justice et aux médias dès le lendemain. Mais avant, je voulais que Verneuil chie dans son froc et que la peur lui bouffe le ventre. Je voulais lui donner ces quelques heures d'avance pour qu'il ait le temps d'imaginer l'étau se resserrer sur lui et lui briser lentement les os. Quelques heures douloureuses de pleine conscience à se ronger les sangs en imaginant le tsunami qui allait s'abattre sur lui, ravager sa vie, celle de sa femme, de ses enfants, de ses parents. L'anéantir.

En attendant, je suis rentré chez moi, désœuvré, et j'ai eu l'impression que Soizic mourait pour la seconde fois.

★

— ZIDANE PRÉSIDENT ! ZIDANE PRÉSIDENT !

J'ai été réveillé un peu avant 23 heures – trempé de sueur et agité – par des supporters de foot qui fêtaient la victoire de l'équipe de France. J'avais passé l'après-midi à boire et j'avais l'esprit embué. Mais une inquiétude me tourmentait. Comment allait réagir un être aussi démoniaque que Verneuil ? Il y avait peu de chances qu'il reste sans rien faire. J'avais agi sans penser aux répercussions de mes actes. Sans penser, justement, à sa femme et à ses deux enfants.

Saisi d'un pressentiment funeste, je sortis de chez moi en courant. Je récupérai ma voiture au parking Montalembert et traversai la Seine jusqu'au jardin du Ranelagh. En arrivant boulevard de Beauséjour, devant l'immeuble où vivaient tes parents, je compris tout de suite que quelque chose n'était pas normal. Le portail électrique du garage souterrain était ouvert.

J'empruntai la passerelle et garai ma Porsche dans le parking.

Puis tout s'accéléra. Alors que j'appelais l'ascenseur, j'entendis deux coups de feu tirés dans les étages. Je me précipitai dans les escaliers et grimpai les marches jusqu'au deuxième étage. La porte était entrouverte. Au moment où je débarquais dans l'appartement, je tombai sur ton père armé d'un fusil à pompe. Le sol et les murs du hall d'entrée étaient striés d'éclaboussures écarlates. Je vis le cadavre de ta mère et celui de ton frère au bout du couloir. Et tu étais la prochaine sur sa liste. Comme d'autres avant lui, ton père était la proie d'une folie meurtrière : il exterminait sa famille avant de se donner la mort. Je me suis jeté sur lui pour essayer de le désarmer. Nous nous sommes battus au sol et un coup de feu est parti qui lui a fait exploser le crâne.

C'est comme ça que, sans le savoir, je t'ai sauvé la vie.

14

Deux rescapés du néant

L'enfer est vide,
tous les démons sont ici.
William SHAKESPEARE

1.

Une série d'éclairs fulgurants illumina l'intérieur de la pièce, bientôt suivie par un roulement de tonnerre. Assise à la table du salon, Mathilde terminait de prendre connaissance des aveux de Nathan Fawles. Au fil de sa lecture, il lui avait semblé plusieurs fois qu'elle ne parvenait plus à respirer, comme si l'oxygène se raréfiait dans la pièce et qu'elle risquait de tomber en apoplexie.

Pour appuyer ses propos, Fawles ne s'était pas contenté de son récit. Il avait sorti d'un placard les preuves de son enquête, trois gros dossiers cartonnés qu'il avait joints à la liasse de feuillets tapés à la machine à écrire.

Mathilde avait devant les yeux la démonstration des terribles exactions de son père. Elle avait réclamé la vérité, mais la vérité, insoutenable, lui faisait perdre pied. Son cœur cognait avec une telle violence qu'il lui semblait que ses artères allaient se déchirer. Fawles lui avait promis un jet d'acide. Non seulement il avait tenu parole, mais il avait visé les yeux.

Elle s'en voulait. Comment avait-elle pu être aveugle à ce point ? Ni pendant son adolescence ni depuis la mort de ses parents elle ne s'était sérieusement interrogée sur la provenance de l'argent de sa famille. L'appartement de deux cents mètres carrés du boulevard de Beauséjour, le chalet de Val-d'Isère, la maison de vacances du cap d'Antibes, les montres de son père, le double dressing de sa mère, aussi grand qu'un deux-pièces. Elle était censée être journaliste, elle avait mené des enquêtes à charge sur des hommes politiques soupçonnés d'abus de biens sociaux, sur des personnalités accusées d'évasion fiscale ou sur les comportements immoraux de certains dirigeants d'entreprise, mais elle n'avait jamais pris la peine d'enquêter sur elle-même. L'éternelle histoire de la paille et de la poutre.

À travers la vitre, elle aperçut Fawles qui était sorti sur la terrasse. Immobile, protégé de la pluie par les lattes en bois du patio, il regardait fixement l'horizon. Son fidèle Bronco montait la garde près de lui. Mathilde reprit le fusil à pompe qu'elle avait posé sur la table le temps de sa lecture. Le fusil à la crosse en noyer et au boîtier en acier orné de la gravure effrayante du Kuçedra. Le fusil qui, elle le savait à présent, avait décimé sa famille.

Et maintenant? se demanda Mathilde.

Elle pouvait se mettre une balle dans la tête pour achever le tableau. À cet instant précis, l'acte apparaissait comme un soulagement. Tant de fois, elle avait culpabilisé de ne pas être morte avec son frère. Elle pouvait aussi tuer Fawles, brûler sa confession et son dossier d'enquête pour protéger coûte que coûte la mémoire des Verneuil. Un secret de famille comme celui-ci est une tache dont on ne se remet pas. Une déflagration qui vous interdit d'avoir des enfants. Une infamie qui, dès lors qu'elle devient publique, contamine votre lignée et votre descendance pour des siècles et des siècles. La troisième solution consistait à tuer Fawles et à se tuer ensuite pour éliminer tous les témoins de cette affaire. Éradiquer définitivement la lèpre de l'«affaire Verneuil».

Dans sa tête, les images de Théo ne la lâchaient pas. Des souvenirs heureux. Poignants. Le visage facétieux de son frère qui respirait la gentillesse. Ses lunettes colorées et ses dents de la chance. Théo était si attaché à elle. Il lui faisait tellement confiance. Souvent, lorsqu'il avait peur – de la nuit, des monstres des contes, des petits caïds de CM2 de la cour de récré –, elle le rassurait et lui répétait tout le temps de ne pas s'inquiéter, lui affirmant qu'elle serait toujours là lorsqu'il aurait besoin d'elle. Des paroles qui ne l'engageaient à rien puisque la seule fois où il avait *réellement* été en danger, elle n'avait rien pu faire. Pire, elle n'avait pensé qu'à elle et était partie se réfugier dans sa chambre. Cette pensée lui était insupportable. Jamais elle ne pourrait vivre avec.

À travers la vitre, elle aperçut Fawles qui, malgré la pluie, descendait l'escalier en pierre menant au promontoire où était amarré le Riva. Un moment, elle crut qu'il allait chercher à prendre le bateau, mais elle se souvint d'en avoir vu les clés dans le vide-poches près de l'entrée.

Ses oreilles bourdonnaient. Son cerveau était en ébullition. Elle passait d'une idée et d'une émotion à l'autre. Il n'était pas tout à fait vrai de dire qu'elle ne s'était jamais posé de questions sur sa famille. Dès l'âge de dix ans – et peut-être même avant –, elle avait alterné des périodes lumineuses et des phases plus sombres. Des moments où elle était dévorée par l'inquiétude et par un mal de vivre dont elle ignorait la cause. Ensuite, il y avait eu ses troubles alimentaires, qui avaient nécessité deux hospitalisations à la Maison des adolescents.

À présent, elle comprenait qu'à cette époque, le secret de la double vie de son père pourrissait déjà en elle. Et qu'il avait commencé à contaminer son frère. Un pan de sa vie s'éclairait soudain d'une lumière nouvelle : la tristesse de Théo, son asthme, ses cauchemars atroces, sa perte de confiance en lui et ses résultats scolaires devenus médiocres. Le secret était en eux depuis l'enfance, tel un poison qui les tuait à petit feu. Sous le vernis de la famille parfaite, le frère et la sœur avaient capté des zones d'ombre et des relents toxiques. Tout ça s'était fait de manière inconsciente. Comme des télépathes, ils avaient dû saisir au vol certaines paroles énigmatiques, certaines attitudes, des non-dits, des silences qui avaient injecté en eux une inquiétude diffuse.

Et que savait réellement sa mère des crimes de son mari ? Peut-être pas grand-chose, mais peut-être Sofia s'était-elle accommodée un peu facilement et sans poser trop de questions d'une situation où l'argent coulait à flots.

Mathilde sentit qu'elle sombrait : en quelques minutes, elle avait perdu tous ses repères, toutes les balises qui définissaient son identité depuis si longtemps. Au moment où elle allait retourner l'arme contre elle, elle chercha désespérément à se raccrocher à quelque chose, et un détail du récit de Fawles lui traversa l'esprit : l'ordre de la chute des corps. Et soudain, Mathilde se mit à douter de la version de l'écrivain. Après son amnésie traumatique, les souvenirs étaient revenus avec une précision surprenante. Et elle était certaine que son père était mort en premier.

2.

Le grondement du tonnerre secoua la maison, comme si elle était sur le point de se décrocher de la falaise. Armée du fusil, Mathilde traversa la terrasse et descendit l'escalier pour rejoindre Fawles et son chien près de l'embarcadère.

Elle arriva sur la grande dalle rocheuse qui s'étendait devant le niveau zéro de la maison. L'écrivain s'était réfugié sous l'auvent de la façade imposante en pierres meulières, trouée d'une série de hublots opaques. La première fois qu'elle avait vu ces hublots, Mathilde avait été intriguée. À présent, elle se dit que l'endroit pouvait servir de hangar pour le Riva, même si, les jours de tempête, certaines vagues devaient noyer le ponton et monter jusqu'ici.

— Il y a quelque chose qui ne cadre pas dans votre récit.

Las, Fawles se massa la nuque.

— L'ordre de la chute des corps, insista Mathilde. Vous prétendez qu'avant de mourir, mon père a d'abord tué ma mère puis mon frère.

— C'est ce qui s'est passé.

— Mais ce n'est pas du tout ce dont je me souviens. Lorsque j'ai été réveillée par le premier coup de feu, je suis sortie de ma chambre et j'ai *vu* le corps de mon père dans le couloir. C'est ensuite que j'ai assisté au meurtre de ma mère et à celui de mon frère.

— Ça, c'est ce dont tu *crois* te souvenir. Mais ce sont des souvenirs reconstitués.

— Je sais ce que j'ai vu !

Fawles avait l'air de maîtriser le sujet :

— Les souvenirs qui reviennent plusieurs décennies après un black-out ont l'apparence de la précision, mais ils ne sont pas fiables. Ils ne sont pas foncièrement faux, mais ils sont abîmés et reconstruits.

— Vous êtes neurologue ?

— Non, je suis romancier et j'ai lu des choses à ce sujet. La mémoire traumatique est parfois défaillante, c'est une évidence. Le débat sur ce que l'on appelle les « faux souvenirs » a fait rage pendant des années aux États-Unis. On appelait ça la « guerre des souvenirs ».

Mathilde l'attaqua sur un autre front :

— Cette enquête au Kosovo, pourquoi êtes-vous le seul à l'avoir menée ?

— Parce que j'étais sur place, et surtout parce que je n'ai demandé l'autorisation à personne.

— Si ce trafic d'organes a vraiment existé, il a forcément laissé des traces. Les autorités n'ont pas pu mettre une affaire comme ça sous le tapis.

Fawles eut un rire triste.

— Tu n'es jamais allée sur un terrain de guerre ni dans les Balkans, n'est-ce pas ?

— C'est vrai, mais...

— Il y a bien eu des embryons d'enquête, la coupa-t-il. Mais à l'époque, la priorité était de restaurer un semblant d'État de droit, pas de raviver les blessures du conflit. Et puis, administrativement, c'était un bordel sans nom. Entre l'Unmik, qui administrait alors le Kosovo, et les autorités albanaises, tout le monde se renvoyait la balle. Pareil pour le TPIY et la mission Eulex. Leurs ressources pour mener des investigations étaient très limitées. Je t'ai déjà expliqué combien il était compliqué d'avoir des témoignages nombreux et concordants et combien les preuves disparaissent vite dans ce type d'affaires. Sans parler de la barrière de la langue.

En apparence, Fawles avait réponse à tout, mais Fawles était un écrivain, donc par nature – Mathilde n'en démordait pas – un professionnel du mensonge.

— Pourquoi la porte du garage de l'immeuble de mes parents était-elle ouverte le soir du 11 juin 2000 ?

Fawles haussa les épaules.

— Elle avait sans doute été fracturée par Karim et Apolline pour monter chez les retraités. Tu aurais dû poser la question à tes deux grands-pères tortionnaires.

— Ce soir-là, après avoir entendu les deux coups de feu, vous êtes donc monté précipitamment dans notre appartement ? demanda-t-elle en poursuivant le débriefing du récit de Fawles.

— Oui, ton père avait laissé la porte entrouverte.

— Ça vous semble logique ?

— Rien n'est logique pour quelqu'un qui décide de massacrer sa famille !

— Il y a quand même une chose que vous oubliez : l'argent.

— Quel argent ?

— Vous prétendez qu'une partie de l'argent issue du trafic d'organes était versée sur un compte ou plusieurs comptes offshore.

— C'est ce que m'a dit Carsten Katz, oui.

— Mais que sont devenus ces comptes ? Je suis la seule héritière de mon père et je n'en ai jamais entendu parler.

— C'est le principe du secret bancaire et de l'opacité de ce genre de structures, il me semble.

— À l'époque, je veux bien, mais depuis, on a fait un peu de ménage dans les paradis fiscaux.

— Cet argent doit dormir quelque part, j'imagine.

— Et les lettres de Soizic ?

— Quoi ?

— Qu'est-ce qu'elles fichaient dans le dressing de ma mère ?

— Ton père a dû les trouver sur le cadavre de Soizic.

— D'accord, mais c'était une preuve compromettante. Pourquoi aurait-il pris le risque de les conserver ?

Fawles ne se démonta pas :

— Parce qu'elles étaient bien écrites. Parce que, dans leur genre, elles constituent un chef-d'œuvre de la littérature épistolaire.

— Bonjour, la modestie...

— Bonjour, la vérité.

— Mais pourquoi les aurait-il justement données à ma mère qui ignorait tout de sa double vie ?

Cette fois, Fawles sécha, conscient que sa version s'effritait. Et Mathilde s'engouffra dans la brèche.

3.

L'orage suicidaire et autodestructeur était passé. Mathilde redevenait elle-même. Ou plutôt la Mathilde qu'elle aimait. Celle de flammes et de feu, la dure à cuire qui, depuis l'enfance, vaille que vaille, avait réussi à triompher de beaucoup d'obstacles. Elle était toujours là, vivante, prête au combat. Ne manquait plus qu'à débusquer l'ennemi.

— Je crois que vous ne me dites pas la vérité, Nathan. Je suis certaine d'avoir vu le cadavre de mon père dans le couloir avant la mort de ma mère et de Théo.

À présent, le souvenir était d'une clarté absolue dans sa tête. Net, solide, précis.

La pluie s'était presque arrêtée. Fawles sortit de son abri et fit quelques pas sur le ponton, les mains dans les poches. Des cormorans et des goélands tournaient dans le ciel en lançant des cris effrayants.

— Pourquoi me mentez-vous ? demanda Mathilde en le rejoignant sur la plate-forme d'accostage.

Fawles la regarda dans les yeux. Il n'était pas vaincu, il était résigné.

— Tu as raison. Le premier coup de feu tiré ce soir-là a bel et bien tué la personne que tu as vue dans le couloir, mais ce n'était pas ton père.

— Mais si !

Il secoua la tête et plissa les yeux.

— Ton père était bien trop prudent, bien trop méticuleux pour ne pas avoir anticipé tout ça. Avec les horreurs qu'il avait accomplies, il se doutait qu'un jour ou l'autre, il risquait de voir sa vie basculer. Pour se prémunir de ce cataclysme, il avait organisé l'éventualité de devoir fuir du jour au lendemain.

Mathilde s'était figée.

— Pour aller où ?

— Alexandre Verneuil comptait refaire sa vie sous une autre identité. C'est pour cette raison que les comptes offshore n'étaient pas à son nom, mais à celui de son avatar.

— De qui parlez-vous ? Qui était le cadavre dans le couloir, Nathan ?

— Il s'appelait Dariusz Korbas. C'était un Polonais qui vivait dans la rue avec son chien. Ton père l'avait repéré boulevard du Montparnasse un an plus tôt. Même âge, même morphologie que lui. Il avait compris tout de suite le bénéfice qu'il pourrait en tirer. Il avait engagé la conversation avec lui, l'avait revu le lendemain et lui avait trouvé une place dans un accueil de jour.

Le vent commençait à changer de direction, contraignant la pluie à verser ses dernières gouttes.

— Verneuil invitait fréquemment Dariusz au restaurant, expliqua Fawles. Il lui donnait des habits qu'il ne portait plus et lui facilitait l'accès aux soins médicaux. Sans se douter de ce que ton père avait en tête, ta mère elle-même l'a reçu plusieurs fois gratuitement dans son cabinet dentaire.

— Mais dans quel but faisait-il tout cela ?

— Pour que Dariusz puisse prendre sa place lorsque Verneuil jugerait que le moment était venu de mettre en scène son suicide.

Mathilde se sentit vaciller, comme si le ponton en bois était en train de s'écrouler dans la mer.

Fawles continua :

— Le 11 juin 2000, Verneuil a demandé à Dariusz Korbas de passer le voir un peu avant minuit et d'apporter son sac de voyage, sous prétexte de le conduire sur le *Fleuron Saint Jean*.

— Le *Fleuron Saint Jean* ?

— C'est une péniche amarrée au quai de Javel qui a été transformée en refuge, où les sans-abri peuvent loger avec leur chien. Le plan de ton père était simple : tuer Korbas avant de vous éliminer, ta mère, ton frère et toi. Et c'est ce qui s'est passé. Lorsque Dariusz s'est pointé, ton père a demandé à ta mère de lui préparer un café. Il en a profité pour fouiller ses affaires. Puis, au moment de partir vers le prétendu foyer, Verneuil lui a tiré dans le visage à bout portant.

Mathilde objecta immédiatement : elle se souvenait très bien que le corps de son père avait été identifié.

— C'est exact, approuva Fawles. Le corps a été identifié le lendemain par ton grand-père, Patrice Verneuil, et par ta grand-mère. Identifié dans la douleur et la confusion, davantage pour remplir une formalité que pour déjouer un piège auquel nul n'aurait pensé.

— Et les flics ?

— Ils ont fait scrupuleusement leur boulot : analyse de la dentition du cadavre, comparaison de l'ADN relevé sur un peigne et une brosse à dents trouvés dans la salle de bains de ton père.

— Le peigne et la brosse appartenaient à Dariusz, devina Mathilde.

Fawles acquiesça :

— C'est à ça que servait le sac de voyage.

— Et pour la dentition ?

— C'était le plus difficile à contourner, mais ton père avait pensé à tout : comme lui et Dariusz se faisaient tous les deux soigner dans le cabinet de ta mère, il lui avait suffi d'intervertir l'après-midi même les deux panoramiques dentaires pour blouser les techniciens de la police scientifique.

— Et les lettres à Soizic ? Pourquoi les avait-il placées dans le placard de ma mère ?

— Pour faire croire aux enquêteurs que ta mère avait un amant. Et que la tromperie de sa femme était la cause de ce massacre. L'initiale S. allait dans ce sens.

Fawles ébroua sa chevelure pour en chasser les gouttes de pluie. Le passé revenait l'assiéger à son tour et il était toujours aussi difficile d'y faire face.

— Lorsque je suis arrivé dans l'appartement, ton père avait déjà tué Dariusz Korbas, ta mère et ton frère. Il avait laissé la porte ouverte, c'est vrai, sans doute pour pouvoir s'enfuir plus facilement. Mais avant, c'est toi qu'il allait tuer, je le sais à présent. J'ai lutté pour le désarmer et je lui ai donné plusieurs coups de crosse dans le visage pour le mettre hors d'état de nuire. Puis j'ai jeté un coup d'œil dans ta chambre, mais je n'y ai vu personne.

— C'est pour ça que j'ai reconnu vos bottes.

— Ensuite, je suis retourné dans le salon. Ton père était bien amoché, inconscient, mais il était encore vivant. Moi, j'étais abasourdi par ce que je venais de vivre. Je n'allais comprendre que bien plus tard ce qui s'était passé. Dans le feu de l'action, j'ai finalement décidé de descendre par l'ascenseur avec le corps inanimé de Verneuil. Une fois dans le parking, je l'ai porté jusqu'à la voiture où je l'ai installé sur le siège passager.

Mathilde comprenait à présent pourquoi Apolline Chapuis avait juré avoir vu deux personnes dans la Porsche de l'écrivain.

— J'ai quitté l'immeuble et j'ai pris la direction de l'hôpital qui me paraissait le plus proche : Ambroise-Paré, à Boulogne-Billancourt. Mais, à quelques mètres des urgences, j'ai continué ma route sans m'arrêter. J'ai roulé toute la nuit : le périphérique, l'autoroute A6 puis la Provençale jusqu'à Toulon. Je ne pouvais pas me résoudre à faire soigner Verneuil. Il ne pouvait pas être le seul à sortir vivant de cette tragédie alors qu'il en était l'unique responsable.

4.

— Je suis arrivé à Hyères au petit matin. Entre-temps, Verneuil avait vaguement repris connaissance, mais je l'avais ligoté avec les lanières des deux ceintures de sécurité avant de l'enfermer dans le coffre.

Fawles se mit à parler comme il devait conduire cette nuit-là : vite et sans faire de pause.

— J'ai poursuivi mon trajet vers le port de Saint-Julien-les-Roses où j'avais mon bateau. J'ai chargé Verneuil dans le Riva, puis j'ai navigué jusqu'ici.

Je voulais le tuer moi-même, comme j'en avais eu l'intention lorsque j'étais rentré du Kosovo. Comme j'aurais dû le faire, ce qui aurait évité le carnage auquel je venais d'assister. Mais je ne suis pas passé à l'acte tout de suite. Je ne voulais pas que cette mort soit trop douce. Je voulais qu'elle soit lente, horrible, ténébreuse.

En marchant, Fawles s'était rapproché du hangar à bateau. À présent, il semblait habité par la fièvre :

— Pour venger la mort de Soizic et toutes celles que Verneuil avait perpétrées, je me devais de l'envoyer en enfer. Mais l'enfer véritable n'est pas une balle dans la tête ni un coup de couteau en plein cœur. L'enfer véritable est l'enfer éternel, la souffrance à perpétuité, le même châtiment sans cesse infligé. Le mythe de Prométhée.

Mathilde ne comprenait toujours pas où Fawles voulait en venir.

— J'ai séquestré Verneuil à *La Croix du Sud*, poursuivit-il, et après lui avoir extorqué les réponses qui me manquaient, je ne lui ai plus adressé la parole. Je pensais pouvoir assouvir ma vengeance au long cours, une vengeance à la mesure de la peine que j'éprouvais. Et les jours ont passé, les semaines, les mois, les années. Des années de solitude et d'isolement. Des années de pénitence et de torture qui, au bout du compte, ne débouchent que sur un terrible constat : après tout ce temps, le véritable prisonnier, ce n'était pas Verneuil, c'était moi. J'étais devenu le geôlier de moi-même...

Abasourdie, Mathilde recula d'un pas, frappée par l'effroyable vérité : pendant des années, Nathan Fawles avait séquestré son père dans le hangar à bateau. Dans cette partie de la bâtisse protégée par des hublots opaques, où personne ne mettait jamais les pieds.

Elle considéra le *boat house* qui se fondait dans la falaise. L'entrée pouvait se faire par une étroite ouverture latérale ou par une grande porte sectionnelle métallique, comme on en trouvait sur les garages. Elle regarda Fawles, en quête d'une confirmation. L'écrivain sortit de sa poche une petite télécommande qu'il pointa sur le portail. La porte s'ouvrit lentement, à la verticale, dans un bruit grinçant.

5.

Le vent s'engouffra dans le repaire du monstre et y tourbillonna, charriant une odeur épouvantable de terre calcinée, de soufre et d'urine.

Rassemblant ce qu'il lui restait de force et de détermination, Mathilde s'avança face à l'abîme pour une ultime confrontation. Elle débloqua la sécurité et serra contre elle le canon du fusil. Le vent lui fouettait le visage, mais cette fraîcheur lui faisait du bien.

Elle attendit longtemps. Un bruit métallique se mélangea au souffle du mistral. La tanière du Kuçedra était plongée dans le noir. Le bruit de chaînes s'amplifia, puis le démon émergea des ténèbres.

Alexandre Verneuil n'avait plus forme humaine. Sa peau était livide, sèche et marbrée comme celle d'un reptile, ses cheveux blancs formaient une crinière effrayante, ses ongles avaient le tranchant et la longueur de griffes, et son visage violacé, recouvert de pustules, était percé de crevasses : deux yeux fous et hallucinés.

Mathilde sentit qu'elle perdait pied devant le monstre qu'était devenu son père. En quelques secondes, elle redevint la petite fille effrayée par les loups et les ogres. Elle avala sa salive. Au moment où elle baissait son arme, une trouée dans le ciel fit miroiter les fines gravures qui décoraient le canon : un Kuçedra triomphant aux yeux d'argent qui déployait ses ailes gigantesques. Son corps fut traversé de tremblements. Elle se cramponna à la crosse, mais...

★

— Mathilde ! J'ai peur !

L'inflexion d'une voix venue du territoire de l'enfance. Un vieux souvenir qui traînait dans un coin de sa tête. Été 1996. La calanque des Pins, à quelques kilomètres d'ici. Le vent tiède, l'ombre des conifères, l'odeur enivrante des eucalyptus. Le rire en cascade de Théo. Il a sept ans. Il est monté tout seul sur le premier palier de Punta dell'Ago, le petit îlot rocheux qui s'élève face à la plage. Et à présent, il n'est plus très sûr d'avoir le cran de plonger. Quelques mètres plus bas, Mathilde nage dans l'eau turquoise. La tête relevée, tendue vers le piton rocheux, elle crie pour l'encourager :

— Allez, mon Théo ! C'est toi le plus fort !

Comme son frère hésite encore, elle agite les bras dans sa direction et, avec toute la force de conviction dont elle est capable, lui hurle :

— Fais-moi confiance !

Les mots magiques. Ceux qu'il ne faut pas prononcer à la légère. Ceux qui font que, tout à coup, Théo se met à avoir les yeux qui brillent et retrouve son sourire. Il prend son élan, court et se jette dans la mer. L'image se fige alors qu'il est encore en l'air, comme un pirate à l'abordage. C'est un moment léger, heureux, mais qui porte déjà en lui sa propre nostalgie. Un moment préservé de tout ce que deviendra la vie plus tard : la pesanteur, la tristesse, la douleur.

★

Le souvenir se froissa et finit par se diluer dans les larmes.

Mathilde essuya sa joue et s'avança vers le dragon. Le démon qui tressaillait devant ses yeux n'avait plus rien de maléfique ni de menaçant. C'était un spasme hideux aux ailes brisées qui se traînait sur la dalle de pierre comme une loque rachitique. Une chimère aveuglée par la lumière du jour.

Le mistral se déchaînait.

Mathilde ne tremblait plus.

Elle épaula le fusil.

À son oreille, le fantôme de Théo chuchota.

Fais-moi confiance.

Il ne pleuvait plus. Le vent avait commencé à chasser les nuages.

Il n'y eut qu'un coup de feu.

Une détonation sèche et rapide qui claqua dans le ciel délavé.

ÉPILOGUE

« D'où vient l'inspiration ? »

Apostille à *La Vie secrète des écrivains*

par Guillaume Musso

Au printemps dernier, peu après la parution de mon nouveau roman, on m'invita à participer à une séance de dédicace dans l'unique librairie de l'île Beaumont. À la suite du décès de son ancien propriétaire, *La Rose Écarlate* venait d'être reprise par un couple de libraires bordelaises. Deux jeunes femmes enthousiastes qui avaient fait le pari de moderniser et de ressusciter cette vieille enseigne dont elles auraient aimé que je devienne le parrain.

Je n'étais jamais allé à Beaumont auparavant et je ne savais pas grand-chose de sa géographie. Dans mon esprit, l'île se confondait vaguement avec Porquerolles. J'acceptai néanmoins la proposition, parce que les libraires étaient sympas et que je savais que Beaumont était l'endroit où avait vécu pendant presque vingt ans Nathan Fawles, mon écrivain préféré.

J'avais lu partout que les habitants de l'île étaient méfiants et peu accueillants, mais la conférence et la séance de dédicace qui suivit furent vraiment chaleureuses et les conversations avec les Beaumontais très agréables. Chacun avait son anecdote à raconter et je me sentis bien parmi eux. « De tout temps, les écrivains ont été les bienvenus à Beaumont », m'assurèrent les deux libraires. Elles m'avaient réservé pour le week-end une chambre d'hôtes pittoresque dans le sud de l'île, près d'un monastère où vivait une communauté de bénédictines.

Je profitai de ces deux jours pour arpenter l'île et rapidement, je tombai amoureux de ce bout de France qui n'était pas la France. Une sorte de Côte d'Azur éternelle, sans les touristes, le bling-bling, la pollution et le béton. Je n'arrivais pas à me résoudre à quitter l'île. Je décidai de prolonger mon séjour et me mis en quête d'une petite maison à acheter ou à louer. C'est à cette occasion que j'appris qu'il n'y avait pas d'agence immobilière à Beaumont : une partie des biens se transmettait de famille en famille et les autres par cooptation. Ma logeuse, une vieille Irlandaise du nom de Colleen Dunbar à qui je m'étais ouvert de mes projets, me parla d'une maison potentiellement disponible : *La Croix du Sud*, qui avait appartenu à Nathan Fawles. Elle me mit en contact avec la personne autorisée à mener la transaction.

Il s'agissait de Jasper Van Wyck, l'une des dernières légendes de l'édition new-yorkaise. Van Wyck avait été l'agent de Fawles et d'autres auteurs importants. Il était connu notamment pour avoir permis la publication de *Loreleï Strange* alors que le roman avait été refusé par la plupart des maisons d'édition de Manhattan. Quand un article paraissait dans la presse au sujet de Fawles, c'était toujours Van Wyck qui s'exprimait et je me demandais quels étaient les rapports entre les deux hommes. Déjà avant d'adopter un silence complet, Fawles donnait l'impression de détester tout le monde : les journalistes, les éditeurs et même ses confrères écrivains. Lorsque je l'appelai, Van Wyck était en vacances en Italie, mais il accepta de les interrompre pendant une journée pour me faire visiter *La Croix du Sud*.

Rendez-vous fut pris, et le surlendemain, Jasper vint me chercher chez Colleen Dunbar au volant d'une Mini Moke de location couleur camouflage. Tout en rondeurs et en bonhomie, l'agent me faisait penser à Peter Ustinov lorsqu'il interprétait le rôle d'Hercule Poirot : vêtements rétro de dandy, moustache en croc, regard malicieux.

Il me conduisit jusqu'à la pointe du Safranier, puis s'aventura à l'intérieur d'un grand parc sauvage où les odeurs de la brise marine se mêlaient à celles des eucalyptus et de la menthe poivrée. Le chemin tournicotait sur une pente raide et la mer apparut soudain en même temps que la maison de Nathan Fawles, un parallélépipède en pierre ocre, verre et béton.

Je fus séduit immédiatement. J'avais toujours rêvé d'habiter dans un endroit pareil: une villa accrochée à la falaise avec du bleu à perte d'horizon. J'imaginais des enfants courir sur la terrasse, j'imaginais mon bureau face à la mer, où j'écrirais des romans sans difficulté, comme si la beauté du paysage pouvait être source d'une inspiration sans fin. Mais Van Wyck en demandait une fortune, et il me dit que je n'étais pas le seul client sur le coup. Un homme d'affaires du Golfe avait déjà fait plusieurs visites et formulé une offre ferme. « Ça serait dommage de laisser passer cette chance, me dit Jasper, cette maison est faite pour être habitée par un écrivain. » Bien que je ne sache pas vraiment ce qu'était une maison d'écrivain, j'avais tellement peur qu'elle me passe sous le nez que je cédai à cette dépense folle.

★

Épilogue

J'emménageai dans *La Croix du Sud* à la fin de l'été. La maison était en bon état, mais méritait un sérieux rafraîchissement. Ça tombait bien, j'avais besoin de faire à nouveau quelque chose de mes dix doigts. Je me mis à la tâche. Je me levais tous les matins à 6 heures et j'écrivais jusqu'à l'heure du déjeuner. L'après-midi était consacré aux travaux de rénovation de la villa : peintures, plomberie, électricité. Au début, vivre à *La Croix du Sud* était un peu intimidant. Van Wyck m'ayant vendu la maison meublée, quoi que je fasse le fantôme de Fawles rôdait partout : l'écrivain avait pris son petit déjeuner sur cette table, il avait cuisiné dans ce four, il avait bu son café dans cette tasse. Assez rapidement, je devins obsédé par Fawles et je me demandai s'il avait été heureux dans cette maison et pourquoi il avait finalement décidé de la vendre.

Bien sûr, dès notre première rencontre, j'avais posé la question à Van Wyck qui, malgré son affabilité, n'avait pas pris de pincettes pour me répondre que cela ne me regardait pas. J'avais compris que si je m'aventurais encore une fois sur ce terrain, la maison ne serait jamais mienne. Je relus les trois romans de Fawles, je téléchargeai tous les articles que je pus trouver sur lui et, surtout, je discutai avec les gens de l'île qui l'avaient croisé. Les Beaumontais me firent un portrait plutôt louangeur de l'écrivain. Certes, il passait pour quelqu'un d'un peu mélancolique qui se méfiait des touristes et refusait systématiquement d'être pris en photo ou de répondre à des questions sur ses livres, mais avec les autochtones, Fawles était poli et courtois. Loin de son image de solitaire bourru, il avait pas mal d'humour, était plutôt liant et avait ses habitudes aux *Fleurs du Malt*, le pub de l'île. Son déménagement soudain avait surpris la plupart des gens. Les circonstances de son départ n'étaient d'ailleurs pas très claires, même si tout le monde s'accordait pour convenir qu'à l'automne précédent, Fawles avait brusquement disparu de la circulation après avoir rencontré une journaliste suisse en vacances sur l'île. Une jeune femme qui était entrée en contact avec lui en lui ramenant son chien, un golden retriever nommé Bronco qui était resté introuvable pendant plusieurs jours. Personne n'en savait vraiment plus et, même si on ne me le dit pas ouvertement, je sentais bien que les insulaires étaient un peu déçus qu'il se soit esquivé sans leur dire au revoir. « C'est la timidité des écrivains », expliquais-je pour le défendre. Mais je ne sais pas s'ils me crurent.

★

Épilogue

L'hiver arriva.

Avec persévérance, je continuai les travaux dans la maison l'après-midi tandis que je travaillais le matin sur mon livre en cours. À vrai dire, je n'écrivais pas beaucoup. J'avais commencé un roman, *La Timidité des cimes*, que je peinais à achever. L'ombre imposante de Fawles me poursuivait partout. Au lieu d'écrire, je passais mes matinées à faire des recherches sur lui. Je retrouvai la trace de la journaliste suisse – elle s'appelait Mathilde. À sa rédaction, on me confia qu'elle avait démissionné, mais je n'en appris pas davantage. Je remontai jusqu'à ses parents dans le canton de Vaud. Ils me répondirent que leur fille allait bien et d'aller me faire voir.

Du côté de mes travaux, les choses avançaient heureusement à un rythme plus rapide. Après la rénovation des pièces principales, je m'attaquai aux parties plus annexes, en commençant par le hangar à bateau dans lequel avait dû dormir le Riva de Fawles. Jasper avait cherché à me le vendre, mais je n'aurais su que faire d'un tel bateau et j'avais décliné l'offre. Le *boat house* était le seul endroit de la maison que je trouvais chargé d'ondes négatives. Sombre, froid, glaçant. J'y remis de la lumière en réhabilitant les belles fenêtres aux formes ovales qui ressemblaient à des hublots et avaient été murées. Encore insatisfait, j'abattis aussi plusieurs demi-murs qui rapetissaient la pièce. Dans l'un des ouvrages maçonnés, j'eus la surprise de voir apparaître des ossements coulés dans le béton.

Sur le coup, je m'affolai. Ces os étaient-ils humains ? De quand dataient ces constructions ? Fawles aurait-il été mêlé à un meurtre ?

Mais c'est le propre des romanciers de faire des histoires sur tout. J'en étais conscient et décidai de me calmer.

Quinze jours plus tard, alors que j'avais retrouvé un peu de sérénité, je fis une autre découverte – cette fois, dans un recoin de la toiture. Une machine à écrire Olivetti vert amande ainsi qu'un dossier cartonné qui contenait les cent premières pages de ce qui semblait être un roman inachevé de Fawles.

Excité comme je ne l'avais pas été depuis longtemps, je descendis au salon, mon trésor sous le bras. La nuit était tombée et la maison était glaciale. J'allumai un feu dans la cheminée au foyer suspendu qui trônait au centre de la pièce et je me servis un verre de Bara No Niwa – Fawles avait laissé dans le bar deux bouteilles de son whisky préféré. Puis je m'installai dans le fauteuil face à la mer pour lire les pages tapées à la machine. Une première fois avec avidité et une deuxième pour apprécier pleinement le texte. C'est l'un des souvenirs de lecture les plus marquants de ma vie. Différent, mais comparable dans l'intensité à celui que j'ai pu avoir enfant et adolescent en découvrant *Les Trois Mousquetaires*, *Le Grand Meaulnes* ou *Le Prince des marées*. Il s'agissait des premières pages d'*Un invincible été*, le roman sur lequel travaillait Fawles avant qu'il arrête d'écrire. On en trouvait notamment la trace dans la dernière interview qu'il avait donnée à l'AFP. Le livre s'annonçait comme un roman-fleuve puissant et humaniste appuyé sur une galerie de personnages que l'on voyait évoluer pendant les presque quatre ans qu'avait duré le siège de Sarajevo. Ce que j'en lus n'était qu'un début – un texte brut, non corrigé, non poli –, mais un départ de feu flamboyant, largement à la hauteur de ce que Fawles avait écrit jusque-là.

Dans les jours qui suivirent, je me levai chaque matin avec un sentiment de puissance chevillé au cœur, en me répétant que j'avais le privilège d'être peut-être la seule personne au monde à avoir eu accès à ce texte. Mais une fois cette griserie dissipée, je m'interrogeai sur la raison pour laquelle Fawles avait abandonné son texte en cours de route. La version que j'avais lue était datée d'octobre 1998. Le roman était bien lancé.

Fawles devait être satisfait de son travail. Quelque chose était forcément survenu dans sa vie pour qu'il renonce de façon aussi brutale à l'écriture. Une lourde dépression ? Une histoire d'amour avortée ? La perte d'un être cher ? Cette décision avait-elle quelque chose à voir avec les ossements que j'avais trouvés dans le mur du hangar à bateau ?

Pour en avoir le cœur net, je résolus de les montrer à un spécialiste. Quelques années plus tôt, en faisant des recherches pour un polar, j'avais rencontré Frédérique Foucault, une anthropologue judiciaire qui intervenait dans l'analyse de certaines scènes de crime. Elle me proposa de passer la voir à son bureau parisien de l'Inrap. Je me rendis rue d'Alésia avec une petite valise en aluminium dans laquelle j'avais réuni un échantillon des ossements. Mais au dernier moment, dans la salle des pas perdus, je me dégonflai et quittai les lieux. Au nom de quoi allais-je prendre le risque de noircir la vie de Fawles ? Je n'étais ni juge ni journaliste. J'étais romancier. J'étais aussi un lecteur de Fawles et, même si c'était naïf, j'avais la certitude que l'auteur de *Loreleï Strange* et des *Foudroyés* n'était ni un salopard ni un assassin.

★

Épilogue

Je me débarrassai des ossements et j'allai voir Jasper Van Wyck à New York, dans son petit bureau du Flatiron noyé sous les manuscrits. Les murs étaient couverts de gravures à l'encre sépia représentant des scènes de combat entre des dragons plus hideux et menaçants les uns que les autres.

« Une allégorie du monde de l'édition ? » demandai-je.

« Ou du monde des écrivains », me répondit-il du tac au tac.

On était à une semaine de Noël. Il était de bonne humeur et m'invita à partager des huîtres au *Pearl Oyster Bar* de Cornelia Street.

« J'espère que la maison vous plaît toujours ? » m'interrogea-t-il. J'acquiesçai, mais lui parlai aussi de mes travaux et des ossements que j'avais trouvés en abattant un mur du hangar à bateau. Accoudé au comptoir, Jasper fronça légèrement les sourcils, même si le reste de son visage resta impénétrable. En me servant un verre de sancerre, il me dit qu'il connaissait bien l'architecture de *La Croix du Sud*, que sa construction remontait aux années 1950 et 1960, soit longtemps avant que Fawles ne l'achète, et que ces os étaient sûrement ceux d'un bovidé ou d'un canidé.

« Ce n'est pas ma seule découverte », dis-je en lui parlant des cent pages d'*Un invincible été*. D'abord,

Jasper crut que je plaisantais, puis il eut un doute. Je sortis alors de ma serviette les dix premières pages du manuscrit. Van Wyck les parcourut, les yeux brillants. « Cet enfoiré m'avait toujours dit qu'il avait brûlé le début du manuscrit ! »

« Que voulez-vous en échange de la suite ? » me demanda-t-il. « Rien, dis-je en lui tendant le reste des pages, je ne suis pas un maître chanteur. » Il me regarda avec gratitude, en s'emparant de la centaine de pages comme s'il s'agissait d'une relique. En sortant du bar à huîtres, je lui demandai à nouveau s'il avait des nouvelles de Fawles, mais il botta en touche.

Je changeai de sujet en lui disant que j'étais en quête d'un agent américain pour un nouveau projet de livre : je voulais raconter sous forme romancée les derniers jours de Nathan Fawles sur l'île Beaumont. « C'est une très mauvaise idée », s'inquiéta Jasper. « Ce n'est pas une biographie ni un ouvrage intrusif, tentai-je de le rassurer, c'est une fiction inspirée par la figure de Fawles. J'ai déjà le titre : *La vie secrète des écrivains.* »

Jasper resta de marbre. Je n'étais pas venu chercher sa bénédiction, mais ça m'embêtait de le quitter sur un froid. « Je n'ai envie d'écrire sur rien d'autre, dis-je encore. Pour un romancier, rien n'est plus douloureux que de porter en soi une histoire et de ne pas pouvoir la raconter. » Cette fois, Jasper hocha la tête. «Je comprends», dit-il avant de me lancer la tirade qu'il servait à la presse : «Le mystère Nathan Fawles, c'est qu'il n'y a pas de mystère. »

« Ne vous en faites pas, répondis-je. Je vais en inventer un, c'est mon boulot. »

★

Avant de quitter New York, j'achetai plusieurs rouleaux encreurs chez un revendeur de machines à écrire d'occasion, à Brooklyn.

J'arrivai à *La Croix du Sud* un vendredi en début de soirée, deux jours avant Noël. Il faisait froid, mais la vue était toujours à couper le souffle, presque irréelle, lorsque le soleil se couchait sur l'horizon. Pour la première fois, j'eus l'impression de rentrer chez moi.

Je posai sur la platine le vinyle de la bande originale du *Vieux Fusil*, bataillai pour allumer un feu dans la cheminée et me servis un verre de Bara No Niwa. Puis je m'assis à la table du salon devant l'Olivetti en bakélite dans laquelle je glissai un des rouleaux.

Je pris une longue inspiration. Ça faisait du bien d'être de retour derrière un clavier. C'était là qu'était ma place. Là où je m'étais toujours senti le moins mal. Pour m'échauffer, je tapai la première phrase qui me passa par la tête.

```
La première qualité d'un écrivain, c'est
d'avoir de bonnes fesses.
```

Le crépitement des touches sous mes doigts me provoqua un léger frisson. Je continuai :

```
Chapitre 1.
Mardi 11 septembre 2018
Le vent faisait claquer les voiles dans
un ciel éclatant. Le dériveur avait quitté
les côtes varoises un peu après 13 heures
et filait à présent à la vitesse de cinq
nœuds en direction de l'île Beaumont.
```

Ça y est, c'était parti, mais dès ces premières phrases je fus interrompu par un long SMS de Jasper Van Wyck. Il m'informait tout d'abord qu'il était d'accord pour lire mon roman lorsqu'il serait terminé. (C'était pour garder un œil dessus, je n'étais pas dupe.) Il m'assurait ensuite que Fawles allait bien et que l'écrivain l'avait chargé de me remercier pour lui avoir restitué

Épilogue

ces cent pages, dont il prétendait avoir oublié l'existence. En confiance, Jasper joignait à son message une photo prise la semaine précédente par un touriste à Marrakech. Laurent Laforêt, un pseudo-journaliste français, avait identifié Fawles dans la médina et l'avait mitraillé. Après s'être improvisé paparazzi, le pissecopie avait essayé de vendre ses clichés à des sites ou à des magazines de gossip, mais Jasper avait réussi à les récupérer avant qu'ils ne paraissent.

Curieux, je détaillai l'image affichée sur mon téléphone. Je reconnus l'endroit, car je l'avais visité lorsque j'étais allé en vacances au Maroc : le souk Haddadine, le quartier des ferronniers et des forgerons. Je m'en souvenais comme d'un labyrinthe de rues étroites situé en plein air, une concentration d'échoppes et de stands dans lesquels des artisans armés d'outils et de fers à souder martelaient, fondaient et façonnaient le métal pour le transformer en lampes, lanternes, paravents et autres meubles en fer forgé.

Au milieu des gerbes d'étincelles, on distinguait clairement trois personnes : Nathan Fawles, la fameuse Mathilde, ainsi qu'un enfant d'environ un an, assis dans une poussette.

Sur la photo, Mathilde porte une robe courte en maille jacquard, un Perfecto en cuir et une paire de sandales à talons hauts. Elle a la main posée sur l'épaule de Fawles. Un je-ne-sais-quoi de sensible, de très doux, d'énergique et de solaire émane de son visage. Fawles se tient au premier plan, vêtu d'un jean, d'une chemise en lin bleu pâle et d'un blouson d'aviateur. Bronzé, les yeux clairs, il a encore de la gueule. Ses lunettes de soleil sont remontées sur son front. On comprend qu'il a repéré le photographe, il lui lance un regard qui signifie à peu de chose près : *va te faire foutre, tu ne nous atteindras jamais.* Il a les mains sur le guidon de la poussette. Je regarde le visage de l'enfant et je suis troublé, car il me fait penser à moi lorsque j'étais petit. Bouille blonde, lunettes rondes et colorées, dents de la chance. Malgré la violation d'intimité, la photo capte indéniablement quelque chose : une complicité, un instant apaisé, l'équilibre parfait d'une vie.

★

À *La Croix du Sud*, la nuit était tombée. Tout à coup, je me sentis très seul et un peu triste au milieu de l'obscurité. Je me levai pour allumer les lampes et pouvoir continuer à écrire.

Épilogue

Lorsque je retournai à ma table de travail, je regardai à nouveau le cliché. Je n'avais jamais rencontré Nathan Fawles, mais j'avais l'impression de le connaître parce que j'avais lu et aimé ses livres et que j'habitais chez lui. Toute la lumière de la photo était absorbée par le visage du bambin et par son éclat de rire radieux. Et j'eus soudain la certitude que ce n'étaient ni les livres ni l'écriture qui avaient sauvé Fawles. C'est à l'étincelle qui brillait dans les yeux du gamin que s'était raccroché l'écrivain. Pour reprendre pied et réinvestir sa vie.

Alors, je levai mon verre de whisky dans sa direction pour trinquer avec lui.

J'étais soulagé de le savoir heureux.

Loreleï Strange

★

Nathan Fawles

A Mathilde

Nathan Fawles

10 Mars 1999

Ⓛ Ⓑ

Little, Brown and Company
New York Boston London

Le vrai du faux

D'où vient l'inspiration ?

Cette question apparaît toujours à un moment ou à un autre, lors de mes rencontres avec les lecteurs, les libraires ou les journalistes. Elle n'est pourtant pas si banale qu'il y paraît. Ce roman, *La vie secrète des écrivains* est une forme dc réponse possible, illustrant le processus mystérieux qui donne naissance à l'écriture : tout est potentiellement source d'inspiration et matériau de fiction, mais rien ne se retrouve dans un roman tel qu'on l'a vu, vécu ou appris. Comme dans un rêve étrange, chaque détail de la réalité peut se déformer et devenir élément essentiel d'une histoire en gestation. Alors, ce détail devient romanesque. Toujours vrai, mais plus réel.

Cet appareil photo, par exemple, à cause duquel Mathilde croit avoir démasqué un assassin, s'inspire d'un fait divers. Un Canon PowerShot retrouvé sur une plage de Taïwan après avoir dérivé pendant six ans depuis Hawaï. Le vrai ne contenait que des photos de vacances. Celui du roman est bien plus dangereux...

Autre exemple, l'« ange aux cheveux d'or », titre de la deuxième partie du roman, est le doux surnom que Vladimir Nabokov donna à sa chère épouse Véra, dans une des innombrables lettres qu'il lui adressa. C'est à la beauté de ces lettres, ainsi qu'aux échanges bouleversants entre Albert Camus et Maria Casarès que je pensais en écrivant la correspondance entre S. et Nathan Fawles.

Quant à l'île Beaumont, c'est une île fictive inspirée pour une part de l'étonnante ville d'Atherton, en Californie, pour une autre – beaucoup plus séduisante – de Porquerolles, ainsi que de mes voyages à Hydra, en Corse ou dans l'île de Skye. Les noms des commerces qu'elle abrite, aux jeux de mots inventifs (*Les Fleurs du Malt, Bread Pit…*), viennent d'établissements croisés au détour d'un déplacement ou d'une recherche.

Le libraire, Grégoire Audibert, doit beaucoup de son désenchantement à Philip Roth, et à son pessimisme sur l'avenir de la lecture.

Enfin, Nathan Fawles, un personnage que j'ai aimé accompagner dans ces pages, est allé chercher son besoin d'isolement, son renoncement à l'écriture, son retrait du monde médiatique, ses postures bourrues, tantôt auprès de Milan Kundera et J.D. Salinger, tantôt chez Philip Roth, encore lui, et Elena Ferrante… J'ai désormais l'impression qu'il existe par lui-même et, comme le Guillaume Musso fictif de l'épilogue, je serais heureux d'apprendre qu'il a réussi à reprendre goût à la vie, dans un autre endroit du monde.

Références

En 4ᵉ de couverture: Gabriel García Márquez, cité par Gerald Martin, dans *Gabriel García Márquez: a life*, Bloomsbury, 2008; page 9: Umberto Eco, *L'île du jour d'avant*, Grasset, 1996; page 20: Shakespeare, *Le Roi Lear*, v. 1606; page 25: Dany Laferrière, *Journal d'un écrivain en pyjama*, Grasset, 2013; page 45: Margaret Atwood, *Negotiating with the dead*: a *writer on writing*, Cambridge University Press, 2002; page 47: John Steinbeck, *A Life in Letters*, Viking Press, 1975; page 59: Umberto Eco, *Confessions d'un jeune romancier*, traduit de l'anglais par François Rosso, Grasset, 2013; page 75: Gustave Flaubert, *L'Éducation sentimentale*, 1869; page 85: Milan Kundera, *L'Art du roman*, Gallimard, 1986; page 108: Philip Roth, *Opération Shylock*, Gallimard, 1995; page 111: Zora Neale Hurston, *Dust Tracks on a Road*, J.B. Lippincott, 1942, « There is no greater agony than bearing an untold story inside yo. »; page 130 : Raymond Queneau, *Exercices de style*, Gallimard, 1947; Emmanuel Levinas, « Nom d'un chien ou le droit naturel », *in Difficile Liberté*, Albin Michel, 1963; page 133: attribué à Eugène Ionesco; page 152: Françoise Sagan, *Je ne renie rien, Entretiens, 1954-1992*, Stock, 2014; page 173: Paul Féval, *Le Bossu*, 1858; page 183: Marcel Proust, *Le Côté de Guermantes*, Gallimard, 1920; page 199: Elena Ferrante, *Frantumaglia*, Gallimard, Du monde entier, 2019; page 225: Virgile, *Énéide*; page 235: Arthème Fayard, cité par Bernard de Fallois à propos du personnage de Simenon;

page 237: Henry Miller, « Lire ou ne pas lire », revue *Esprit*, avril 1960 ; page 243 : John Irving, Entretien, magazine *America*, n° 6, été 2018 ; page 255 : Franz Kafka, *Lettres à Milena*, Gallimard, 1956 ; page 277 : Georges Simenon, *La Chambre bleue*, Presses de la Cité, 1964 ; page 278 : Henri Bergson, Le rire, Félix Alcan, 1900 ; page 297 : William Shakespeare, *La Tempête*.

Autres auteurs et œuvres évoqués
L'Attrape-cœurs, J.D. Salinger ; *Carrie,* Stephen King ; La série *Harry Potter,* J.K. Rowling ; *Dune,* Frank Herbert ; *Quartier lointain,* Jiro Taniguchi ; *Les Suicidés, L'homme qui regardait passer les trains,* Georges Simenon ; *Finnegans Wake,* James Joyce ; *L'Île Noire,* Hergé ; *Le Poète,* Michael Connelly ; *Les Mille et Une Nuits,* évocation de Shéhérazade ; *Le Bouc émissaire,* René Girard ; *Le Roman inachevé,* Louis Aragon ; *Le Hussard sur le toit,* Jean Giono ; *Belle du Seigneur,* Albert Cohen ; *Lettres portugaises,* Gabriel de Guilleragues ; « Si je mourais là-bas… », *Œuvres poétiques,* Guillaume Apollinaire ; *Les Trois Mousquetaires,* Alexandre Dumas ; *Le Grand Meaulnes,* Alain-Fournier *; Le Prince des marées,* Pat Conroy ; *Les Fleurs du Malt : Les Fleurs du mal,* Baudelaire ; *Un Saint Jean Hiver : Un singe en hiver,* Antoine Blondin ; Salman Rushdie, Mario Vargas LLosa, Francis Scott Fitzgerald, Michel Tournier, J.M.G. Le Clézio, Jean d'Ormesson, John Le Carré, Marguerite Duras, André Malraux, Arthur Rimbaud, Ernest Hemingway, Pablo Neruda, Cormac McCarthy. Films : *Plein Soleil, Citizen Kane, Orange mécanique.*

Carte de l'île : © Matthieu Forichon

Table

L'INDICIBLE VÉRITÉ

DU MÊME AUTEUR

SKIDAMARINK, Anne Carrière, 2001

ET APRÈS..., XO Éditions, 2004, Pocket, 2005

SAUVE-MOI, XO Éditions, 2005, Pocket, 2006

SERAS-TU LÀ ?, XO Éditions, 2006, Pocket, 2007

PARCE QUE JE T'AIME, XO Éditions, 2007, Pocket, 2008

JE REVIENS TE CHERCHER, XO Éditions, 2008, Pocket, 2009

QUE SERAIS-JE SANS TOI ?, XO Éditions, 2009, Pocket, 2010

LA FILLE DE PAPIER, XO Éditions, 2010, Pocket, 2011

L'APPEL DE L'ANGE, XO Éditions, 2011, Pocket, 2012

SEPT ANS APRÈS..., XO Éditions, 2012, Pocket, 2013

DEMAIN..., XO Éditions, 2013, Pocket, 2014

CENTRAL PARK, XO Éditions, 2014, Pocket, 2015

L'INSTANT PRÉSENT, XO Éditions, 2015, Pocket, 2016

LA FILLE DE BROOKLYN, XO Éditions, 2016, Pocket, 2017

UN APPARTEMENT À PARIS, XO Éditions, 2017, Pocket, 2018

LA JEUNE FILLE ET LA NUIT, Calmann-Lévy, 2018, Le Livre de Poche, 2019

Impression réalisée par MARQUIS IMPRIMEUR
en avril 2019
Pour les éditions CALMANN-LÉVY, 21, rue du Montparnasse – 75006 Paris
N° édition : 7307864/06 – Dépôt légal : avril 2019
Imprimé au Canada